LE CLUB DES BABY-SITTERS

Déjà parus dans la série

LE CLUB DES **BABY-SITTERS**

1. L'Idée géniale de Kristy
2. Claudia et le visiteur Fantôme
3. Le Secret de Lucy
4. Pas de panique, Mary Anne!
5. Carla et les trois monstres
6. Un grand jour pour Kristy
7. Claudia a des ennuis
8. Lucy est amoureuse
9. Carla et le passage secret
10. Logan aime Mary Anne
11. Kristy et les snobs
12. La Nouvelle Amie de Claudia
13. Au revoir, Lucy!
14. Mallory entre en scène
15. La revanche de Carla
16. Le langage secret de Jessi
17. Mary Anne et la malédiction
18. L'erreur de Lucy
19. Une vengeance pour Claudia
20. Kristy et les champions
21. Le cauchemar de Mallory
22. Les malheurs de Jessica
23. Les vacances de Carla
24. Le cadeau de Kristy
25. Mary Anne cherche son chat
26. Adieu Mimi...
27. Jessica et la star
28. Le retour de Lucy
29. Mallory et la malle mystérieuse
30. Félicitations Mary Anne !
31. Une nouvelle sœur pour Carla
32. Le défi de Kristy

LE CLUB DES **BABY-SITTERS MYSTÈRE**

1. Lucy et le voleur de bijoux
2. Carla est en danger
3. Mallory mène l'enquête
4. Kristy et l'enfant disparu

Ann M. Martin

# D'où viens-tu Claudia ?

Traduit de l'américain
par Sophie Merlin

LE CLUB DES **BABY-SITTERS**

**FOLIO** JUNIOR/**GALLIMARD** JEUNESSE

*Ce livre est pour Jane,*
*qui est ma sœur (enfin, je crois).*

Titre original : Claudia and the great search
Édition originale publiée
par Scholastic Inc., New York, 1990

*“ Je suis stupide et Jane est un génie. Bon, d’accord, je sais que ce n’est pas vrai. Je veux dire, je ne suis pas complètement stupide. ”*

# 1

Tic, tic, tic.

Je regardais la grande aiguille de la pendule murale en train de faire, doucement, le tour du cadran. Quand la classe est silencieuse, comme c’était le cas à ce moment-là, chaque fois que la trotteuse avance d’une seconde, ça fait un bruit de cliquetis.

C’est une vieille pendule mais elle est très précise. Tous les après-midi, elle cliquette de treize heures dix à treize heures cinquante et une, et quand la trotteuse arrive sur le douze à exactement treize heure cinquante et une, la sonnette retentit… et je suis enfin libérée du cours de sciences.

Je ne supporte vraiment pas les sciences, et encore moins la biologie, ce que nous étions justement en train d’étudier. Je n’arrive pas à m’y retrouver avec tous ces mots bizarres : cellule et noyau, gène et chromosome, ARN et ADN, et je ne sais quoi d'autre.

Oh, bon.

Tic, tic, tic.

Nous étions supposés lire les instructions pour une expérience que nous devions réaliser pendant le cours. Moi, je trouve ça absurde. Année après année, le même professeur fait faire à ses élèves les mêmes expériences. Mais si les expériences ont été faites tellement de fois avant, ce ne sont plus des expériences ! Le professeur sait exactement ce qui va se passer. Pour moi, expérimenter, c'est essayer de nouvelles choses pour voir ce qui se produit. En cours, on ne fait pas du tout d'expériences, on obéit aux instructions du prof ou du bouquin.

Mais de toute façon, je m'en moque. Aujourd'hui, je ne suis pas obligée de faire cette stupide expérience. J'attends simplement que la pendule indique treize heures vingt... puis je partirai ! Oui, avant la fin du cours !

Je ne tenais plus en place.

Heureusement, l'idée de ce qui m'attendait après m'aidait à tenir. Vous vous demandez sûrement ce que j'allais faire, non ? Je devais aller à une cérémonie de remise de prix où ma sœur aînée, Jane le Génie, allait être récompensée. Ce n'est pas vraiment exceptionnel. Elle passe son temps à obtenir des diplômes ou des prix, et des A dans tous les cours.

Ma sœur et moi, nous sommes très différentes. C'est d'ailleurs difficile de croire que nous sommes de la même famille. Je n'ai jamais eu les félicitations, ni même les encouragements et je n'ai jamais reçu aucun prix. D'accord, si, mais c'était en arts plastiques. Je suis fière d'avoir obtenu ces récompenses et mes parents aussi, enfin je pense. Mais Jane, elle, reçoit des prix à l'école, alors bien sûr, elle se fait plus remarquer et féliciter que moi. Je devrais peut-être vous en dire un peu plus sur ma famille afin que vous compreniez mieux.

Pour commencer, nous sommes quatre: maman, papa, Jane et moi. Jane a seize ans et elle est en fac. Moi, j'ai treize ans et je suis en quatrième. Nous habitons à Stonebrook, dans le Connecticut. Avant, il y avait un cinquième membre dans notre famille: Mimi, ma grand-mère. Mimi et moi étions très proches. Je pouvais tout lui raconter. Elle m'écoutait toujours et elle s'en fichait que je ne sois pas une élève brillante. Elle aimait aussi vraiment mes dessins. Mais maintenant Mimi est partie. Elle est morte il y a peu de temps. Elle me manque beaucoup.

Notre famille est américano-japonaise. Jane et moi, nous sommes nées ici, à Stonebrook, et nous ne sommes jamais allées au Japon. Mon père travaille dans une société d'investissements à Stamford, une ville voisine. Ma mère est la conservatrice de la bibliothèque municipale. Je suis stupide et Jane est un génie. Bon, d'accord, je sais que ce n'est pas vrai. Je veux dire, je ne suis pas complètement stupide. D'après mes profs, je suis même très intelligente. Simplement je ne m'applique pas. J'ai un peu de mal à me concentrer et, franchement, l'école ne m'intéresse pas. Par contre l'art, oui. J'aime tout ce qui concerne l'art. Et je suis douée pour ça. Je sais sculpter, peindre, faire des croquis, des collages, des bijoux et tout ce que vous pouvez imaginer. Je ne suis pas en train de me vanter, c'est juste la vérité.

Alors que Jane, elle, la seule chose qui l'intéresse, c'est les études. Elle aime surtout l'informatique et les sciences. C'est un véritable génie : elle a un QI de plus de 150 ! Elle est tellement intelligente qu'avant même d'entrer en fac, elle y suivait des cours en étant encore au lycée.

Jane et moi nous sommes aussi différentes que le jour et la nuit.

Mais revenons au cours de sciences.

Tic, tic, tic. Juste au moment où tout le monde terminait de lire les instructions pour la fameuse expérience, la pendule a indiqué treize heures vingt.

Je me suis levée.

– Je dois y aller maintenant, ai-je rappelé à mon professeur.

– Très bien. A demain, Claudia.

(Nous étions seulement lundi, le début d'une nouvelle semaine d'amibes, de paramécies et d'autres monstres de la biologie.)

J'ai ramassé mes affaires, et j'ai filé à mon casier où je me suis débarrassée de mon livre de sciences. J'ai pris deux autres livres, j'ai enfilé ma veste et je suis sortie du collège.

Mon père m'attendait devant la porte.

– Salut, ai-je dit en montant dans la voiture.

– Bonjour, chérie.

Papa a traversé Stonebrook jusqu'à la fac. Nous devions rejoindre ma mère là-bas.

Je n'arrivais pas à croire que mes deux parents aient quitté leur travail pour cette cérémonie. (Bon, maman allait y retourner après parce que c'est à côté, mais pas papa. Stamford, c'est trop loin.)

Quand nous sommes arrivés, papa a garé la voiture et, à l'entrée principale du bâtiment, nous avons retrouvé maman, Peaches (la sœur de maman) et Russ. Je les adore. Ils sont cools et très drôles. Russ est américain. Je veux dire qu'il n'est pas japonais. Et c'est lui qui a trouvé le surnom Peaches. Mimi avait donné à maman et à Peaches des noms japonais, mais Russ a commencé à appeler ma tante comme ça. Maintenant, tout le monde l'appelle Peaches. Et tout le monde appelle Russ, simplement Russ. Et pas Russell qui est son vrai prénom. Jane et moi, nous ne les avons jamais appelés tante Peaches et oncle Russ. C'est Peaches et Russ pour tout le monde. Ils n'ont pas d'enfants (je crois qu'ils ne peuvent pas en avoir), mais j'adorerais qu'ils en aient. Ce seraient des parents vraiment extra.

Maman, papa, Peaches, Russ et moi, nous nous sommes tous embrassés. Puis nous sommes entrés et un élève nous a conduits dans le hall principal. Une fois là, maman a dit à un professeur que nous venions voir Jane Koshi recevoir sa récompense.

– Oh, vous êtes la famille de Jane ! Je suis tellement content de vous rencontrer. S'il vous plaît, suivez-moi jusqu'aux rangs réservés. Vous devez être terriblement fiers de Jane.

Et bla-bla-bla.

Honnêtement ce professeur, peu importe qui il était, en faisait des tonnes à propos de Jane. D'accord, elle avait gagné un autre prix. Pas besoin d'en faire toute une histoire !

Mais bon, visiblement, pour la fac, c'était un événement important. Le professeur nous a accompagnés jusqu'à une rangée, devant, dont l'accès était fermé par un cordon d'or avec un panneau très chic sur lequel était inscrit « RÉSERVÉ ». Le professeur a fait tout un cinéma en retirant le cordon. Nous nous sommes faufilés à nos places réservées et nous nous sommes installés. Jane et les autres élèves qui allaient recevoir des récompenses étaient assis au premier rang.

– Félicitations, nous a répété le professeur en nous quittant.

– Merci, ont répondu maman et papa en même temps.

Ils étaient radieux.

Enfin la cérémonie a commencé. D'abord, l'orchestre de la fac a joué un morceau. Ensuite, le directeur a prononcé quelques mots, puis c'était au tour du président des élèves et enfin l'adjointe du directeur est montée sur scène. Elle allait présenter les récompenses.

J'ai jeté un regard circulaire dans le hall. Il était plein. Tous les élèves, tous les professeurs étaient là, et aussi plein d'autres familles comme la mienne. Il n'y avait pas assez de sièges pour tout le monde et, du coup, des élèves étaient assis sur les rebords des fenêtres et les professeurs étaient debout dans les allées. J'ai essayé de chercher des élèves que je connaissais, mais je n'en ai trouvé aucun.

De toutes manières, j'ai dû arrêter mes recherches car papa m'a donné un coup de coude en chuchotant :

– Écoute ce qu'elle dit, ma chérie.

Je me suis retournée, décidée à me concentrer.

L'adjointe du directeur a distribué les récompenses. D'abord un prix d'excellence en littérature, puis en maths, ensuite trois prix pour les langues étrangères et un en économie.

Enfin elle a annoncé :

– Et maintenant, je suis fière, non, j'ai l'honneur de présenter la dernière récompense. C'est une récompense spéciale et qui n'a été remise qu'une seule fois auparavant. C'était il y a dix ans, à un élève de fin de cycle. Cette fois-ci, elle est attribuée à une jeune élève, à l'élève la plus brillante en sciences. Jane Koshi, voulez-vous venir prendre votre prix ?

Ma sœur, qui semblait nerveuse, s'est levée et s'est frayé un chemin jusqu'à la scène. Elle n'a pas trébuché en montant les marches, et elle a reçu sa plaque gravée et un chèque de deux cent cinquante dollars avec plaisir. Avant de quitter l'estrade, elle nous a souri à maman, papa, Peaches, Russ et moi, puis elle est retournée s'asseoir.

La cérémonie était terminée.

Mais le cauchemar ne faisait que commencer.

Est-ce que vous pouvez croire ça ? Tous ces gens (les élèves, les professeurs, ma famille) se sont précipités sur Jane pour la féliciter. Elle était entourée de toutes parts, cernée, et le pire, c'est qu'elle avait l'air d'apprécier.

Devinez quoi ? Un photographe et une journaliste du *Stonebrook News* étaient là. Le photographe a pris quelques photos de Jane avec son prix et son chèque pendant que la reporter se tournait vers ma famille et commençait à nous poser des questions.

– Votre sœur est extrêmement intelligente, m'a-t-elle dit. Vous êtes aussi surdouée ?

Moi ? Surdouée ?

– Hum, disons que je suis...

Avant même que je puisse lui parler de mes talents en arts plastiques, elle s'était retournée vers ma mère et lui demandait si elle était fière de Jane.

Oh ! là, là ! Quelles questions percutantes !

Pendant tout ce temps, le professeur de biochimie de Jane discutait avec papa. Tout à coup, elle m'a demandé :

– Vous êtes la sœur de Jane ?

J'ai hoché la tête.

- Eh bien, je suis impatiente de vous avoir dans ma classe si vous êtes comme votre sœur. Je dois dire, pourtant, que c'est difficile de croire que vous êtes sœurs.

Eh bien, merci beaucoup. J'avais déjà entendu ça des tonnes de fois, mais ça ne veut pas dire que c'était plus agréable. En général, les gens disent ça quand ils savent à quel point je suis nulle à l'école. (Je suis incapable d'écrire sans faire de fautes d'orthographe.) Je pense que ce professeur voulait dire que Jane et moi, nous ne nous ressemblions pas physiquement. Nous ne nous habillons vraiment pas pareil. Par exemple, ce jour-là, Jane portait une de ses tenues habituelles : une longue jupe plissée écossaise, un chemisier blanc à col rond, des collants et des chaussures bleues à talons. Elle a les cheveux courts, du coup, elle ne peut pas en faire grand-chose. Moi, j'étais habillée avec une de mes tenues originales : une jupe noire très courte, un T-shirt blanc trop grand avec des dauphins turquoise, des sandalettes turquoise plates à lanières, et une tonne de bijoux dont des boucles d'oreilles en forme de dauphins. J'avais attaché mes longs cheveux en queue de cheval.

Les gens nous regardaient tour à tour Jane et moi. J'étais certaine qu'ils étaient tous en train de se dire : « C'est incroyable qu'elles soient sœurs. » Puis ils m'ignoraient et félicitaient Jane.

Je n'avais qu'une hâte : quitter cet endroit.

*« Je ne voulais pas qu'il pense que j'étais jalouse. Et pourtant je crois que c'était ce que je ressentais... »*

## 2

Je n'avais jamais été aussi soulagée de ma vie quand papa a posé sa main sur mon épaule en disant :

– Bon, Claudia, on y va ?

On y va ! C'était tout ce que j'espérais entendre depuis une heure. La plupart des gens étaient en train de quitter le hall. Les seuls qui restaient étaient les élèves qui avaient reçu un prix, quelques parents, quelques amis et maman, papa et moi. Peaches et Russ, eux, étaient partis.

J'avais envie de me jeter au cou de papa en criant : « Oh, oui, oui, oui. Je n'ai qu'une envie, c'est de sortir d'ici. » Mais au lieu de cela (et, croyez-moi, j'ai dû prendre sur moi), j'ai répondu :

– D'accord. Je crois que je suis prête.

– Très bien. Jane rentrera à la maison plus

tard. Elle sort avec des amis pour fêter sa récompense.

Fêter sa récompense ? Où ? A la bibliothèque ?

J'ai jeté un œil aux amis de Jane. (Ils n'étaient pas nombreux.) Les garçons avaient des calculatrices dans leurs poches de chemise. Et les filles aussi... Les pantalons des garçons étaient trop courts, et les garçons comme les filles portaient des vêtements qui n'allaient pas ensemble : par exemple, un pantalon à rayures avec une chemise à carreaux. Comment s'habillaient-ils le matin ? En fermant les yeux et en prenant dans leur placard la première chose qui leur tombait sous la main ?

Je savais que j'étais méchante de penser ça. Mais je m'ennuyais parce que Jane attirait toute l'attention.

Enfin maman, papa et moi, nous avons dit au revoir à Jane et nous sommes sortis.

– A tout à l'heure, chérie, m'a dit maman en montant dans sa voiture. Je serai là juste après ta réunion.

– D'accord, maman. A tout à l'heure.

Papa et moi, nous sommes montés dans sa voiture. J'essayais de ne pas montrer à quel point j'étais contrariée. Je ne voulais pas qu'il pense que j'étais jalouse. Et pourtant, je crois que c'était ce que je ressentais...

En plus, nous étions lundi.

Le seul truc bien le lundi, c'est que mes amies et moi avons une réunion du Club des baby-sitters après l'école. On se réunit aussi le mercredi et le vendredi après-midi. Le club, qui est une véritable entreprise, a été fondé par mon amie Kristy Parker pour garder des enfants qui habitent dans notre quartier. J'aime le club pour deux raisons: la première, c'est que j'adore le baby-sitting et la deuxième, c'est que j'adore avoir un groupe d'amies proches. En fait, je pourrais peut-être vous présenter mes amies.

Les membres du club sont Kristy Parker, Lucy MacDouglas (ma meilleure amie), Mary Anne Cook, Carla Schafer, Mallory Pike, Jessica Ramsey et moi (bien sûr). Oh, il y a aussi deux membres intérimaires qui n'assistent pas aux réunions, Louisa Kilbourne et Logan Rinaldi (un garçon!), mais je vous parlerai d'eux plus tard.

Laissez-moi d'abord vous présenter Kristy, puisque c'est la présidente et la fondatrice du Club des baby-sitters (ou CBS). Kristy a une famille géniale! La mienne semble bien ordinaire en comparaison. Avant, Kristy habitait en face de chez moi. En fait, elle, moi et Mary Anne Cook (qui vivait aussi en face de chez moi et à côté de chez Kristy) avons grandi ensemble. Kristy a trois frères: deux grands (Sam et Charlie) qui vont au lycée de Stonebrook, et un petit (David Michael) qui a sept ans. Un peu après la naissance de David Michael, M. Parker a quitté sa famille et a laissé Mme Parker s'occuper des enfants toute seule. (M. Parker vit en Californie maintenant.) Enfin bon, Mme Parker a réussi à garder sa famille unie. Elle a trouvé un très bon travail et la vie de Kristy se déroulait tranquillement sans son père même si, bien sûr, il lui manquait. Puis, Mme Parker a rencontré Jim Lelland, un millionnaire divorcé avec deux enfants, et la vie de Kristy a complètement changé. Sa mère s'est mariée avec Jim, et la famille Parker a emménagé dans l'immense maison des Lelland à l'autre bout de la ville. Kristy a tout à coup hérité d'un beau père, d'un demi-frère (Andrew, quatre ans) et d'une demi-sœur (Karen, qui vient d'avoir sept ans). Même si Andrew et Karen vivent avec leur mère la plupart du temps et qu'ils ne sont chez leur père qu'un week-end sur deux, la demeure Parker-Lelland est bien remplie. Tout d'abord, les Lelland ont adopté une petite fille vietnamienne de deux ans, Emily Michelle, il y a peu de temps. Du coup Mamie, la grand-mère de Kristy, a emménagé chez eux pour s'occuper d'Emily Michelle pendant que M. et Mme Lelland travaillent. Enfin, il y a deux autres habitants (non humains) dans cette maison : Louisa, la chienne de David Michael et Boo-Boo, l'énorme vieux chat de Jim.

A quoi ressemble Kristy ? Eh bien, elle est courageuse. Forcément, pour avoir survécu à tous ces changements. Elle est aussi dynamique, pas du tout timide et très bavarde. Et je dis « bavarde » pour être polie. En réalité, elle a la langue bien pendue. Elle est très franche et elle a tendance à parler avant de réfléchir, même si elle ne veut pas être méchante. Elle dit simplement ce qu'elle pense et ce qui lui passe par la tête. Kristy est un peu garçon manqué et elle entraîne une équipe de base-ball pour les petits à Stonebrook. Son équipe s'appelle les Imbattables. Mais je pense que la chose la plus importante à propos de Kristy, c'est qu'elle a sans arrêt des idées. Et ce sont toujours de bonnes idées qu'elle se débrouille pour réaliser. C'est une des raisons pour lesquelles elle est présidente de notre club.

Kristy a les cheveux châtains, les yeux marron et c'est la plus petite de notre classe. J'ai l'impression qu'elle ne pense pas être mignonne, pourtant elle est très jolie. Elle serait mieux si elle s'intéressait un peu plus aux vêtements. Elle s'habille tous les jours pareil : jean, T-shirt, baskets et col roulé s'il fait froid. De temps en temps, elle porte le T-shirt des Imbattables et aussi, quelquefois, une casquette avec un colley dessus. (Les Parker avaient un colley, Foxy, mais il est mort et c'est pour ça qu'ils ont Louisa, maintenant.)

La meilleure amie de Kristy, c'est Mary Anne Cook. C'est drôle parce que Kristy et Mary Anne se ressemblent beaucoup. Mary Anne a aussi les cheveux châtains, les yeux marron et elle est plutôt petite, mais les points communs s'arrêtent là. Pour moi, des meilleures amies peuvent être complètement opposées et ça n'a pas d'importance. Alors que Kristy est extravertie, Mary Anne est timide et calme, surtout avec les gens qu'elle ne connaît pas bien. Elle est aussi très sensible (elle pleure pour un rien : n'allez jamais voir un film avec elle !), et elle est très attentionnée, c'est quelqu'un sur qui on peut compter quand on a un problème. Elle est aussi romantique, et je suppose que c'est pour ça que Mary Anne, même si elle est timide, est la première des membres du club à avoir un petit ami stable. Et devinez qui c'est ? Logan Rinaldi, un de nos membres intérimaires !

Comme Kristy, Mary Anne a une famille intéressante. Pour commencer, sa mère est morte quand elle était toute petite. Mary Anne a donc grandi toute seule avec son père pendant un bon moment. M. Cook était vraiment strict avec elle, car ce n'était pas facile pour lui d'élever sa fille tout seul. Il avait mis en place des tas de règles pour Mary Anne et même des règles concernant la façon dont elle devait s'habiller. Mais, il y a à peu près un an, quand il a vu à quel point sa fille était mature et responsable, il a commencé à s'adoucir. Maintenant Mary Anne s'habille avec des vêtements à la mode et non plus comme son père le voulait (exactement comme Jane). Par contre elle n'a toujours pas le droit de se faire percer les oreilles, de mettre trop de maquillage, ou du vernis à ongles – à part du transparent.

Il y a peu de temps, M. Cook est devenu encore moins sévère. C'est parce qu'il a recommencé à sortir… avec la mère de Carla Schafer, une autre membre du club ! Vous voyez, il y a très longtemps, Mme Schafer et M. Cook sortaient ensemble quand ils étaient au lycée de Stonebrook. Puis Mme Schafer (qui s'appelait à cette époque-là Sharon Porter) est partie à l'université en Californie, où elle s'est mariée avec M. Schafer. Ensemble ils ont eu Carla et son petit frère, David, avant de divorcer. Après leur divorce, Mme Schafer est revenue à Stonebrook, sa ville natale, avec Carla et David. Carla et Mary Anne sont devenues meilleures amies (Mary Anne a deux meilleures amies), et ensuite Mme Schafer a revu M. Cook et ils ont recommencé à sortir ensemble, et finalement... ils se sont mariés ! Donc, maintenant, Mary Anne et Carla sont meilleures amies, membres du club, et demi-sœurs. La seule chose embêtante pour Mary Anne, c'est qu'avec son père et son chat, Tigrou, ils ont dû déménager de la maison dans laquelle elle a grandi pour aller vivre dans celle de Carla (parce qu'elle est plus grande). Mais elle s'est finalement habituée à cette situation.

Je devrais peut-être vous parler de Carla maintenant, puisque vous en savez déjà un peu sur elle. Carla est notre Californienne. Comme elle a grandi là-bas, elle aime la chaleur et le soleil (et ça lui manque), et elle a eu beaucoup de mal à s'habituer à nos hivers du Connecticut. Carla aime aussi la nourriture saine (comme toute sa famille) et préfère manger du tofu et des brocolis que des glaces. Et elle adore les histoires de fantômes, les maisons hantées et les énigmes, ce qui est plutôt amusant parce que la ferme dans laquelle elle a emménagé à Stonebrook a un véritable passage secret (l'une des entrées donne dans la chambre de Carla), et il y a de bonnes chances qu'il soit hanté.

Si Kristy et Mary Anne sont mignonnes, Carla, elle, est superbe. Ses cheveux sont incroyablement longs et blonds (presque blancs), et ses yeux sont d'un bleu perçant. Elle est mince et s'habille super bien et, en plus, son style est différent du nôtre. Nous disons d'elle qu'elle a un style californien : des vêtements amples, aux couleurs vives, à la mode mais pas extravagants. Carla fait toujours ce qui lui plaît (sans jamais, pour autant, blesser qui que ce soit). Elle a deux trous dans chaque oreille et elle se fiche pas mal de ce que les autres pensent d'elle. Elle vit simplement sa vie comme elle l'entend. J'ai tendance à croire que Carla est forte, comme Kristy, mais elle a quand même eu un moment dur. C'était quand son frère, David, est retourné vivre en Californie avec son père. Il n'a jamais été heureux dans le Connecticut et ne s'y est jamais habitué, contrairement à Carla. Carla savait que c'était la meilleure chose pour lui, mais il lui manque énormément, et maintenant sa famille est divisée en deux et séparée par cinq mille kilomètres. Elle est quand même contente d'avoir un beau-père et elle adore sa demi-sœur. Les choses vont donc mieux pour elle depuis peu.

Ma meilleure amie au monde est Lucy MacDouglas. Lucy est fille unique et a grandi dans l'énorme ville de New York. Elle et ses parents ont emménagé à Stonebrook au début de la cinquième parce que l'entreprise de son père l'avait muté dans le Connecticut. Lucy et moi sommes devenues très vite les meilleures amies du monde. C'était ma première meilleure amie ! Mais elle n'est restée là que pendant un an : son père a été à nouveau muté à New York. J'ai été presque aussi triste qu'à la mort de Mimi. Et puis, les MacDouglas étaient à New York depuis moins d'un an quand les parents de Lucy ont décidé de divorcer… et Mme MacDouglas a voulu revenir à Stonebrook qu'elle avait adoré. Lucy a eu le droit de choisir entre vivre ici avec sa mère ou vivre à New York avec son père. Finalement, elle s'est installée à Stonebrook. Je suis super contente que Lucy soit revenue, même si c'est pour une raison très triste. Je sais que son père lui manque terriblement, même si elle a le droit d'aller le voir chaque fois qu'elle en a envie (sauf quand on a cours, bien sûr). Elle a détesté d'avoir à choisir entre ses parents.

Lucy et moi, nous nous ressemblons un peu. Nous sommes toutes les deux sophistiquées et matures pour treize ans (ça doit paraître un peu prétentieux mais je crois vraiment que c'est la vérité), et nous adorons toutes les deux les vêtements et faisons attention à notre style. Nous avons les oreilles percées (Lucy a un trou de chaque côté, et moi j'en ai un d'un côté et deux de l'autre), nous nous habillons toutes les deux de manière extravagante, et Lucy se fait même faire des permanentes. Elle est toujours en train d'essayer de nouveaux trucs – par exemple se peindre des motifs sur les ongles ou se mettre des paillettes dans les cheveux.

Lucy est drôle, douce et meilleure élève que moi. En maths, c'est quasiment un génie, même si je n'aime pas utiliser ce mot. Mais elle a un problème. Elle est diabétique. Cela ne dérange aucune de nous, bien sûr, mais cela nous inquiète de temps en temps. Lucy a beaucoup maigri récemment, elle doit se faire des injections tous les jours d'un produit qui s'appelle l'insuline, et elle doit se tenir à un régime strict, très strict.

Vous voyez, le diabète est une maladie qui est due à un organe, le pancréas, qui ne fabrique pas assez d'une hormone, l'insuline, pour contrôler le sucre qui se trouve dans le sang. (Argh ! la biologie !) Donc, sans ces injections et le régime sans sucre qui contrôlent son taux de glycémie, Lucy pourrait tomber vraiment malade. Elle pourrait même tomber dans le coma. Lucy le sait et essaie de faire exactement ce que le médecin lui dit mais, honnêtement, il y a des jours où elle n'est pas trop en forme. Elle s'en tire quand même très bien.

Avant de vous parler des deux derniers membres du club, Jessica Ramsey et Mallory Pike, je vais ajouter quelques trucs sur moi :

1) j'adore grignoter des cochonneries et j'en garde des tonnes dans ma chambre ;

2) bien que je n'aime pas lire, j'adore Agatha Christie.

Mais je dois cacher mes réserves et mes livres d'Agatha Christie parce que mes parents n'approuvent ni l'un ni l'autre. Ils ne veulent pas que je mange des cochonneries pour des raisons évidentes et, pour Agatha Christie, ils trouvent que je pourrais lire de la « littérature ». Mimi, au contraire, disait : « Je me fiche de ce que tu lis, ma Claudia, du moment que tu lis. » Je préfère sa façon de penser que celle de maman et papa. D'accord, ma chambre peut surprendre. Quand vous ouvrez un tiroir ou retournez un oreiller, vous ne savez jamais si vous allez tomber sur un paquet de M&M's ou un exemplaire du *Crime de l'Orient-Express.*

Bon. C'est au tour de Jessi et de Mal. La première chose à savoir à leur propos, c'est que ce sont les plus jeunes membres du club. Alors que Kristy, Lucy, Mary Anne, Carla et moi, nous sommes en quatrième, elles, elles sont en sixième. Elles sont aussi meilleures amies avec des points communs et beaucoup de différences. Par exemple, elles sont toutes les deux les aînées de leur famille, et elles trouvent toutes les deux que leurs parents les traitent comme des bébés. Ce n'est pas facile d'avoir onze ans, je trouve. En tout cas, je n'aimerais pas avoir onze ans à nouveau. Je me souviens que ma mère voulait que je mûrisse mais elle ne me laissait aucune responsabilité, ni aucune permission pour quoi que ce soit. En tout cas, les parents de Jessica et de Mallory les ont laissées se faire percer les oreilles il y a peu de temps. (Kristy et Mary Anne sont les seules membres du club à ne pas avoir les oreilles percées.) Mais maintenant Mal a un appareil dentaire, elle porte des lunettes et elle n'a pas le droit d'avoir des lentilles. Et ni Mal ni Jessi n'ont la permission de faire du baby-sitting le soir, elles ont donc encore du chemin à parcourir.

Elles ont toutes les deux des frères et sœurs plus jeunes, mais Jessi en a juste deux (sa sœur de huit ans, Becca, et son petit frère qu'on surnomme P'tit Bout) alors que Mal en a sept. Et parmi eux il y a des triplés ! Et puis Jessi et Mal aiment lire, surtout des histoires de chevaux, mais l'autre passion de Jessi, c'est la danse, alors que Mallory préfère l'écriture et le dessin. Jessi est très douée. Vous devriez la voir danser. Elle va dans une école de danse à Stamford, et elle a déjà fait des ballets devant des tas de gens. Mallory a aussi du talent. Elle a un journal dans lequel elle passe son temps à écrire et à illustrer des histoires. Elle dit qu'elle veut devenir écrivain ou illustratrice de livres pour enfants.

Il y a une dernière différence entre les filles : Mal est blanche et Jessi est noire. Je ne vois pas quel est le problème, mais quand les Ramsey ont emménagé à Stonebrook (ils ont acheté la maison de Lucy quand les MacDouglas sont repartis à New York), les gens d'ici ont été très durs avec eux. Certaines personnes ne voulaient pas laisser leurs enfants jouer avec Becca et d'autres évitaient tout simplement les Ramsey. Je suppose que c'est parce qu'il n'y a pas beaucoup de familles noires à Stonebrook (Jessi est la seule élève noire de sixième) mais, honnêtement, quel est le problème ? Avec le temps, les choses se sont améliorées. Becca et Jessi ont des amis, et la plupart des voisins des Ramsey les ont acceptés, heureusement.

Donc voilà mes amies, celles que j'allais voir quelques heures plus tard pour notre première réunion du club de la semaine.

*“Jane avait gagné son dix millionième prix et j'avais été, une fois de plus, rabaissée plus bas que terre.”*

# 3

Ce jour-là, j'avais l'impression de passer mon temps à regarder l'heure. D'abord la pendule pendant le cours de sciences et ensuite, une fois dans ma chambre, mon réveil. J'avais hâte qu'il soit dix-sept heures trente pour que notre réunion commence. Les réunions ont toujours lieu dans ma chambre, le quartier général officiel du club.

En attendant l'arrivée de mes amies, je me suis mise à penser au club. Je vais d'ailleurs vous en parler maintenant et vous dire comment il est né et la façon dont il fonctionne. Comme je l'ai déjà dit, Kristy est la présidente et la fondatrice du club. Ça a été l'une de ses grandes idées. Elle l'a eue au début de la cinquième. A ce moment-là, elle (et Mary Anne) vivait encore en face de chez moi, et Jim Lelland n'avait pas encore demandé sa mère en mariage. Mme Parker travaillait à plein temps et David Michael avait juste six ans, c'était donc à Kristy, Sam et Charlie de s'en occuper à tour de rôle les après-midi. Cet arrangement marchait bien jusqu'au jour où personne (ni Kristy ni ses frères) n'a été libre pour garder David Michael. Mme Parker a donc été obligée de téléphoner à des baby-sitters. Comme c'était une situation de dernière minute, elle a dû passer coups de fil sur coups de fil pour trouver quelqu'un de libre. En regardant sa mère, Kristy s'est dit que ce serait génial si un parent pouvait en un seul coup de téléphone joindre tout un groupe de baby-sitters, au lieu de s'embêter autant. Et c'est comme ça que sa grande idée est née. Elle en a parlé à Mary Anne et à moi, puisque nous faisions déjà du baby-sitting, et nous a proposé de former un club avec elle. Bien sûr, nous avons tout de suite été d'accord, mais nous avons trouvé qu'être trois n'était pas suffisant. J'ai alors suggéré de demander à Lucy MacDouglas de nous rejoindre. Elle venait d'emménager, mais nous étions déjà devenues très amies. Lucy était ravie de faire partie du club. Elle faisait déjà du baby-sitting à New York et elle avait envie de rencontrer des gens dans sa nouvelle ville.

Donc voilà le début du club. Nous avions décidé de tenir nos réunions trois fois par semaine, le lundi, le mercredi et le vendredi après-midi de dix-sept heures trente à dix-huit heures. Les parents pourraient nous téléphoner à ces heures-là et ils joindraient quatre baby-sitters expérimentées à la fois. Ils étaient certains d'avoir quelqu'un pour garder leurs enfants d'un seul coup de fil.

Comment les gens ont-ils connu notre club ? Nous avons fait de la publicité. Nous avons distribué des prospectus dans notre voisinage, et nous avons même mis une annonce dans le journal de Stonebrook. Et dès notre première réunion, nous avons eu des appels, et ils n'ont fait qu'augmenter depuis ! Vers le milieu de la cinquième, nous avons même eu besoin d'un nouveau membre pour nous aider et nous avons alors demandé à Carla (qui venait d'emménager ici) si ça l'intéressait. Puis, quand (gloups !) Lucy est repartie, nous l'avons remplacée par Jessi et Mal, mais bien évidemment nous avons laissé Lucy reprendre sa place quand elle est revenue à Stonebrook. Maintenant nous sommes sept membres et deux intérimaires, et Kristy dit que ça suffit.

Nous faisons marcher notre club de manière très officielle et professionnelle, et ça grâce à Kristy. Elle nous fait tenir un journal de bord dans lequel nous racontons tous nos baby-sittings. Chacune de nous doit le lire une fois par semaine. Aucune de nous n'aime vraiment faire ça, mais nous sommes bien obligées d'admettre que d'être au courant de ce qu'il se passe dans les familles pour qui nous travaillons et de voir comment nos amies résolvent des problèmes nous aide vraiment.

Et puis, chacune de nous occupe une certaine fonction dans le club. Kristy est la présidente puisque c'est elle qui l'a fondé et qu'elle a des idées géniales. Une de ses idées géniales, ça a été les coffres à jouets. Nous avons donc chacune une boîte décorée remplie avec nos vieux jouets, livres, jeux et aussi avec de nouveaux trucs comme des albums de coloriage et de la peinture. Nous les emportons souvent avec nous pour nos gardes. Les enfants les adorent, du coup, les parents aussi et c'est très bon pour nos affaires !

Je suis la vice-présidente mais c'est surtout parce que j'ai un téléphone avec ma propre ligne dans ma chambre. Nous pouvons téléphoner sans occuper la ligne de quelqu'un d'autre. C'est pour ça que ma chambre est le quartier général.

Notre secrétaire, c'est Mary Anne. Elle a probablement le plus gros travail de nous toutes. C'est à elle de tenir à jour l'agenda du club. L'agenda (qui n'a rien à voir avec le journal de bord) est l'endroit où nous notons toutes les informations importantes pour le club : les noms et adresses de nos clients, l'argent que nous gagnons, comment nos cotisations sont dépensées (ça, c'est en fait le travail de Lucy, elle est trésorière), nos emplois du temps et tous nos baby-sittings. La partie la plus importante du travail de Mary Anne, c'est d'organiser les emplois du temps et elle est vraiment très douée pour ça. On a de la chance parce qu'au début, si nous avions demandé à Mary Anne d'être secrétaire, c'était uniquement parce qu'elle a la plus belle écriture de nous toutes. Nous n'avions aucune idée de la tournure qu'allait prendre sa fonction. Mary Anne doit aussi noter mes cours de dessin, les cours de danse de Jessi, les rendez-vous de Mallory chez l'orthodontiste, etc. Et sachant tout ça, elle doit organiser tous les baby-sittings selon nos emplois du temps. Mary Anne est extra pour ce travail. Et elle n'a jamais fait une erreur ! Nous lui en sommes reconnaissantes.

Comme je l'ai dit avant, Lucy est la trésorière du club. Une partie de son travail, c'est de noter l'argent que nous gagnons. Mais elle fait ça juste pour information parce que chaque membre garde tout l'argent qu'elle gagne. Nous ne partageons pas l'argent entre nous. Lucy est aussi chargée de collecter nos cotisations hebdomadaires le lundi. Elle adore cet aspect de son travail. Lucy aime avoir de l'argent (même si c'est celui du club et non le sien), et déteste s'en séparer. Mais elle est bien obligée de s'en séparer. Les cotisations vont dans la trésorerie du club (une enveloppe en papier kraft) et servent pour différentes choses : payer Samuel qui accompagne Kristy aux réunions et qui vient la rechercher depuis qu'elle habite si loin, payer une partie de ma note de téléphone, acheter des fournitures de dessin, des bulles de savon, des livres d'activités pour les coffres à jouets et… aussi pour nous amuser un peu ! Nous adorons organiser des soirées pyjamas ou des dîners pizzas. Comme Lucy est très douée en maths, elle fait une très bonne trésorière.

Carla est le membre suppléant du club. Ça veut dire qu'elle peut prendre la place de n'importe laquelle d'entre nous qui ne peut pas assister à une réunion. Par exemple, si Mary Anne est malade, Carla prend l'agenda et organise les emplois du temps jusqu'à ce que Mary Anne se rétablisse. Carla est comme un professeur remplaçant (excepté que nous ne lui envoyons pas des boules de papier dans le dos). Au cas où vous vous poseriez la question, Carla était devenue trésorière quand Lucy était retournée à New York, mais elle lui a rendu sa place avec joie quand elle est revenue. Carla est une bonne élève, mais elle n'est pas aussi forte en maths que Lucy. En plus, elle n'aimait pas collecter les cotisations parce que nous détestons toutes nous séparer de notre argent. Carla nous a toutes remplacées au moins une fois, toutes sauf... Kristy. Devinez pourquoi ? Notre présidente n'a jamais manqué une réunion.

Jessica et Mallory sont les membres juniors du club. Elles n'ont pas de véritables fonctions. Membres juniors signifie qu'elles n'ont pas le droit de faire des baby-sittings le soir (sauf si elles gardent leurs propres frères et sœurs). Elles peuvent seulement prendre des gardes après l'école et le week-end. Ça nous est quand même d'une grande aide. Les membres juniors nous permettent d'être disponibles le soir.

Et enfin la dernière chose, mais non la moindre, notre club a deux membres intérimaires. Je vous en ai déjà parlé, c'est Louisa Kilbourne et Logan Rinaldi. Louisa est une amie de Kristy. Elle habite en face de chez elle dans son nouveau quartier et comme elle va dans une école privée personne ne la voit à part Kristy. Logan, comme je l'ai déjà dit, est le petit ami de Mary Anne. Il est en quatrième dans notre collège, et il est troooop mignon. Il est parfait pour Mary Anne. Il est drôle, doux et comprend très bien Mary Anne et ses humeurs. La famille de Logan vient de Louisville, dans le Kentucky, et il parle avec un terrible accent du Sud. Comme Logan et Louisa avaient déjà fait beaucoup de baby-sitting, ils étaient parfaits comme membres intérimaires et ils sont en fait nos baby-sitters de secours. Ce sont des personnes que nous pouvons appeler au cas où le Club des baby-sitters aurait une offre de garde et qu'aucune de nous ne soit libre. Croyez-le ou non, mais cela arrive quelquefois. Et dans ces cas-là, nous aimons pouvoir dire : « Nous sommes désolées, aucune de nous ne peut venir, mais nous pouvons vous recommander un de nos membres intérimaires. » Puis nous téléphonons à Logan ou à Louisa, comme ça nous ne décevons pas nos clients.

Je pense que c'est tout ce que vous avez besoin de savoir à propos du Club des baby-sitters. Cela peut paraître compliqué, mais ça ne l'est pas du tout. Et c'est vraiment génial de faire partie du club. C'est pour ça que j'étais si impatiente que mes amies arrivent ce lundi lugubre alors que Jane avait gagné son dix millionième prix et que j'avais été, une fois de plus, rabaissée plus bas que terre.

A dix-sept heures vingt, Kristy est arrivée. A dix-sept heures vingt-trois, c'était au tour de Carla et de Mary Anne. Et vers dix-sept heures vingt-neuf, nous étions toutes réunies dans ma chambre et nous prenions nos places habituelles. Kristy s'est enfoncée dans mon grand fauteuil, sa visière sur la tête et un crayon sur une oreille. Mallory et Jessica se sont mises par terre, adossées à mon lit. Carla, Mary Anne et moi nous sommes installées en rang d'oignons sur mon lit, et Lucy s'est assise sur ma chaise de bureau, à l'envers, ses bras entourant le haut du dossier. (De temps en temps, Carla prend la chaise et Lucy nous rejoint, Mary Anne et moi, sur le lit.)

Au moment même où mon réveil est passé de dix-sept heures vingt-neuf à dix-sept heures trente, Kristy, qui le fixait d'un œil de lynx, a annoncé :

– La séance est ouverte ! Du calme s'il vous plaît !

Nous nous sommes toutes arrêtées de discuter et Mal et Jessi ont reposé les pliages en papier de chewing-gum qu'elles étaient en train de faire.

Et, avant même que Kristy ait eu le temps de finir de demander : « Vous avez des remarques à propos du club ? », Lucy était déjà debout, avec l'enveloppe de la trésorerie et passait devant chacune de nous en disant :

– Le jour des cotisations ! Le jour des cotisations ! Sortez vos sous, tout le monde !

Avec des soupirs et des grognements, mes amies et moi avons attrapé nos porte-monnaie dans nos poches et nous avons glissé nos cotisations dans l'enveloppe. Puis Lucy s'est laissée tomber par terre, elle a étalé l'argent devant elle, l'a compté dans sa tête simplement en le regardant et elle s'est mise à hurler :

– Nous sommes riches !

Elle a distribué de l'argent à Kristy, pour payer Samuel, et à Carla, Jessi et Mary Anne qui avaient besoin d'acheter de nouvelles choses pour leurs coffres à jouets. Juste au moment où elle avait terminé, le téléphone a sonné. Mary Anne a organisé quatre gardes. Puis, j'ai attrapé un paquet de marshmallows dans lequel tout le monde s'est servi – sauf Lucy et Carla – et Kristy nous a annoncé :

– Il faut que je vous parle d'un problème.

Elle a ajusté sa visière.

– Bon, ce n'est pas exactement un problème qui concerne le club, mais je crois que je dois vous parler des problèmes qu'a Emily Michelle en ce moment.

(Nous essayons toutes de nous tenir au courant des problèmes concernant les enfants que le club garde.)

– Emily ? a répété Mary Anne. Quelque chose ne va pas ? C'est sérieux ?

(Mary Anne s'inquiète très facilement.)

– Je... je ne sais pas. Je veux dire non, bon... oui, a soupiré Kristy. Bon. Voilà. Vous savez que le Dr Dellenkamp dit qu'Emily a un retard de langage.

Nous avons toutes acquiescé. Nous étions au courant et c'était plutôt logique : Emily a grandi au Vietnam et les gens autour d'elle parlaient une langue différente et, en plus, elle a passé une partie de sa vie dans un orphelinat où l'on ne devait pas beaucoup s'occuper d'elle. Ce n'est donc pas étonnant qu'à deux ans, elle ne parle pas tellement anglais.

– Eh bien, continua Kristy, le pédiatre dit qu'Emily ne fait pas autant de progrès qu'elle l'espérait. Et, en plus, Emily a des problèmes émotionnels. Elle a commencé à faire d'horribles cauchemars et elle se réveille en hurlant « Mè ! Mè ! ». « Mè » ça veut dire maman en vietnamien. Et puis, elle a peur de tout : le noir, le bruit, tout ce qui est nouveau, et elle ne supporte pas d'être séparée de nous, et surtout de man et de Jim. Le Dr Dellenkamp n'est pas tellement inquiète à propos de ça, alors que ça effraie beaucoup maman et Jim. Elle dit que c'est une réaction à retardement de tout ce qui est arrivé à Emily. Vous savez, perdre sa mère, aller dans un orphelinat, être adoptée et emménager dans un nouveau pays. Le docteur dit qu'Emily va venir à bout de ses peurs et de ses cauchemars en grandissant. Elle est plus inquiète de la façon dont Emily parle et joue. Elle dit qu'elle ne s'amuse pas comme une enfant de deux ans. Elle espère quand même qu'Emily va rattraper son retard.

Kristy a soupiré.

– Du coup, a-t-elle continué, j'aimerais pouvoir passer plus de temps avec elle, mais j'ai plein de baby-sittings chez les Papadakis en ce moment.

Les Papadakis habitent juste à côté de chez Kristy. Ils ont trois enfants. L'aîné est un garçon, Lenny, qui est un ami de David Michael. Puis il y a Cornélia, sept ans, qui est l'une des meilleures amies de Karen et Sarie qui a, à peu près, l'âge d'Emily. Récemment, leur grand-père est tombé et s'est cassé la hanche, et il a donc dû aller dans une clinique. Pendant qu'il était là-bas, il a attrapé une pneumonie et il est très malade. Bien sûr, M. et Mme Papadakis veulent être avec lui le plus possible et ils ont donc demandé à Kristy de garder les enfants trois soirs par semaine, plus quelques autres fois. (Je pense qu'ils ont aussi pris d'autres baby-sitters, dont Louisa Kilbourne.)

Nous nous sommes toutes mises à essayer de rassurer Kristy, mais le téléphone s'est remis à sonner.

Jessi a répondu :

– Bonjour, madame Lelland !

(C'était la mère de Kristy !) Jessi a écouté pendant un moment puis elle a dit :

– D'accord, nous allons regarder le planning et nous vous rappelons.

Jessi a raccroché.

– Ta mère a besoin d'une baby-sitter pour vendredi soir prochain. Elle sait que tu seras chez les Papadakis ce soir-là. Elle a besoin de quelqu'un pendant environ trois heures pour garder David Michael et Emily Michelle. Andrew et Karen ne sont pas là ce week-end.

Mary Anne a consulté l'agenda.

– Claudia, tu es libre ce soir-là. Tu veux y aller ?

– Bien sûr !

Je commençais à me sentir un peu mieux. J'avais même presque oublié la cérémonie de l'après-midi.

*« Mais où étaient donc les photos de moi ? J'ai repris l'album pour voir si je n'avais pas manqué une page. Eh bien non, il n'y avait pas de photos de moi à la naissance. »*

# 4

Ma bonne humeur n'a pas duré longtemps. Dès la réunion terminée et mes amies parties, j'ai recommencé à me sentir triste. Je me suis affalée sur mon lit en posant ma jambe sur un coussin. Je me suis cassé la jambe il n'y a pas très longtemps et, chaque fois qu'il va pleuvoir, elle me fait mal.

« Chouette, ai-je pensé sarcastiquement. La pluie. Rien de tel pour me mettre de bonne humeur. »

J'étais allongée sur mon lit à passer en revue les événements de la journée. Elle avait commencé avec Jane qui était venue dans ma chambre à peu près quinze fois, chaque fois avec une tenue différente (mais ses vêtements sont tellement tristes que ses tenues se ressemblaient toutes pour moi).

Comme je n'aime aucun des vêtements de Jane, je lui ai dit à chaque fois que c'était bien, ce qui l'a rendue encore plus indécise. Finalement, elle a choisi sa tenue pour la cérémonie de remise de prix toute seule. Ensuite, il y a eu le petit déjeuner, pendant lequel maman et papa n'ont parlé que de la logistique (qu'est-ce que c'est que la « logistique » ?) pour partir plus tôt du bureau, passer me prendre et arriver à l'heure à la cérémonie.

Pendant le cours de maths, le professeur nous a rendu un contrôle. Et devinez combien j'ai eu ? C moins…

Jane, elle, est aussi bonne en maths qu'en informatique ou en sciences.

Et enfin, il y a eu cette stupide cérémonie, et nous savons tous comment ça s'est passé.

– Claudia !… Claudia ?

Ma mère m'appelait d'en bas. J'étais supposée l'aider pour le dîner. C'était mon tour.

– J'arrive !

Je suis descendue et j'ai préparé une super salade. J'ai découpé les radis en forme de roses et j'ai disposé les lamelles de carottes et les quartiers d'œufs durs pour qu'ils ressemblent à un soleil. C'était un véritable travail d'artiste. Un vrai chef-d'œuvre culinaire ! (Attention, je sais ce que « culinaire » signifie. Ça veut dire « qui a rapport à la cuisine ».)

Et devinez quoi ? Quand j'ai apporté la salade à table, papa m'a félicitée :

– Claudia, comme c'est gentil ! Une salade de fête en l'honneur de Jane !

En l'honneur de Jane, tu parles ! J'avais simplement fait ça pour m'amuser.

J'ai quand même essayé de ne pas trop paraître vexée. Je me suis installée en me forçant à sourire.

Et devinez quoi ? A la seconde même où nous avons tous été servis, papa a dit (avec l'air affreusement content) :

– Eh bien, c'était une belle cérémonie, cet après-midi, Jane. Ta mère, ta sœur et moi, nous sommes très fiers de toi.

Jane a fait semblant d'être gênée, mais je savais qu'elle avait adoré être le centre de l'attention.

– Merci, a-t-elle répondu en baissant subitement la tête.

– Eh bien ? a continué mon père. Tu ne veux pas faire une surprise à ta sœur et à ta mère en leur apprenant l'autre nouvelle ?

L'autre nouvelle ? Il y avait autre chose ? Ce n'était pas fini ?

– D'accord...

Jane a reposé sa fourchette et s'est essuyé la bouche délicatement.

– Après votre départ aujourd'hui, une journaliste de Stamford est arrivée. Elle voulait m'interviewer. Et le journal de l'université, aussi. Ils veulent même me suivre et faire des photos de moi à l'université et à la maison. Ils veulent publier un article que la journaliste appellera « Une journée dans la vie d'un génie ».

Oh, non, c'est pas vrai !

Je ne pouvais plus supporter tout ça. J'ai fourré trois morceaux d'œuf dur dans ma bouche, au cas où Jane me demanderait : « Qu'est-ce que tu en penses Claudia ? Est-ce tu veux qu'on parle de toi dans l'article ? »

Au moins, comme ça, je ne pourrais pas lui répondre. En tout cas, tant que je n'aurais pas avalé, et cela allait prendre un moment.

Mais elle ne m'a rien demandé. On a changé de sujet de conversation... pour parler du chèque de Jane.

– Qu'est-ce que tu vas faire avec cet argent, chérie ? l'a questionnée maman. Il est à toi. Tu peux en faire ce que tu veux.

C'était à elle ? Waouh ! Si j'avais reçu un chèque de deux cent cinquante dollars, je me précipiterais chez *Bellair* et j'achèterais le sweat-shirt vert que j'avais vu là-bas. Puis j'irais dans le magasin d'arts plastiques et je prendrais de nouveaux tubes de peinture, de nouveaux pinceaux et le génial nécessaire de sérigraphie que j'ai repéré. Après ça, s'il me restait de l'argent, je foncerais dans le magasin de bonbons. Humm... M&M's, Maltesers, Mars, Smarties... oh, les possibilités sont infinies. Jane avait tellement de chance.

– Je pense, a répondu doucement ma sœur, que je vais redonner l'argent à l'université.

Quoi ! ? C'était la chose la plus idiote que j'avais entendue depuis des années.

Bien sûr, maman et papa ont souri fièrement.

J'avais l'impression d'être invisible. Personne ne m'avait dit un mot depuis le commentaire à propos de la salade. J'aurais tellement aimé que Mimi soit toujours en vie. Si elle avait été là, elle se serait assise juste à côté de moi. Et elle aurait deviné comment je me sentais. Elle aurait partagé le triomphe de Jane, mais ensuite elle m'aurait dit : « Raconte-moi, ma Claudia, comment s'est passée ta réunion aujourd'hui ? Est-ce que vous avez eu de nouveaux baby-sittings ? » Mimi savait toujours exactement ce qu'il fallait dire et à quel moment.

Enfin, le dîner a pris fin et, alors que nous étions en train de débarrasser la table et que je me disais : « Hourra, j'ai survécu. Maintenant je vais pouvoir m'échapper et... », maman m'a prise à part et m'a murmuré :

– Nous avons une surprise pour Jane. Un gâteau ! Assure-toi qu'elle reste bien dans la salle à manger pendant que je m'en occupe.

Nous avons donc dû manger ce gâteau qui était couvert de roses jaunes et sur lequel était inscrit : « FÉLICITATIONS, JEANNE » en bleu. La seule chose de bien à propos du gâteau, c'est que la personne qui avait fait le glaçage s'était trompée dans l'orthographe du prénom de ma sœur.

Enfin, j'ai vraiment pu quitter la table. J'avais

l'intention de faire mes devoirs, mais je savais très bien que je ne serais pas capable de me concentrer, et encore moins avec le bruit des doigts de Jane sur son clavier d'ordinateur. Chaque fois que j'entendais ce bruit, cela me rappelait le prix qu'elle venait d'obtenir et aussi comme elle était intelligente et moi stupide. Du coup, je me suis réfugiée dans le bureau pour avoir un peu de calme.

D'abord, je me suis juste assise sur le fauteuil et j'ai regardé autour de moi. Mes yeux sont tombés sur les albums de photos de famille qui étaient rangés dans la bibliothèque. J'ai pris les plus anciens et j'ai commencé à les feuilleter. Dans le premier, il n'y avait quasiment que des photos de maman et papa. Le deuxième était rempli de photos de Jane bébé. Je ne l'avais jamais remarqué avant, mais honnêtement, il y en avait des tonnes. Il y avait des photos d'elle dans les bras de tous les amis de mes parents ; des photos d'elle avec de drôles de chapeaux, ou avec une énorme paire de lunettes de soleil, ou en train de regarder un magazine (elle était déjà sûrement en train de le lire...) ; des photos d'elle à son premier, à son deuxième et à son troisième anniversaire, et même une photo de maman et papa la tenant dans leurs bras devant l'hôpital le jour où ils l'ont ramenée à la maison. Qui avait pris cette photo ? Mimi ? Peaches. Une infirmière ?

J'ai refermé l'album en soupirant, je l'ai

reposé, et j'ai pris le suivant. « Celui-là, ai-je pensé, doit être plein de photos de moi. »

Mais ce n'était pas le cas. Pas exactement. Il était plein de photos de Jane et moi. Là, j'étais dans les bras de Jane : j'étais bébé, ma tête tombait en arrière et Jane pleurait. Sur une autre, j'étais encore dans les bras de Jane qui essayait de me donner un biberon. Là, j'étais plus grande et Jane m'aidait à marcher. Puis j'ai trouvé un tas de photos du quatrième anniversaire de Jane.

Mais où étaient donc les photos de moi ? J'ai repris l'album du début pour voir si je n'avais pas manqué une page avec une photo de maman et papa me ramenant de l'hôpital. Eh bien non, je n'avais rien manqué. Il n'y avait pas de photos de moi à la naissance.

J'ai à nouveau regardé les photos de Jane et moi. Je les ai regardées scrupuleusement. Nous ne nous ressemblons pas maintenant, mais peut-être que nous nous ressemblions quand nous étions petites, quand nos parents nous habillaient avec les mêmes vêtements et nous faisaient la même coupe de cheveux.

Non. Nous n'avions vraiment pas l'air d'être de la même famille.

Je me suis dit alors que, non seulement, je ne ressemblais pas à Jane, mais pas non plus à mes parents, alors que Jane ressemble trait pour trait à papa.

Un drôle de sentiment m'a envahie. J'ai rangé les albums sur les étagères. Puis je suis allée fermer doucement la porte, je me suis approchée du bureau de mes parents sur la pointe des pieds, et j'ai commencé à fouiller dans les tiroirs. J'avais l'impression d'être une voleuse, mais j'espérais simplement trouver plus de photos. « Maman et papa, me suis-je dit, ont dû prendre plein de photos de moi quand j'étais petite et ils n'ont simplement pas eu le temps de les mettre dans un album. » Je voulais à tout prix trouver ces photos. Je voulais surtout au moins trouver une photo de moi revenant de l'hôpital.

Rien.

Il y avait des trombones, du ruban adhésif, des ciseaux, de la colle, assez de crayons et de stylos pour une armée, une enveloppe contenant les bulletins scolaires de Jane et les miens (je les ai très vite reposés), un paquet de lettres et de cartes postales de Peaches, Russ et d'autres personnes, un certificat disant que maman pouvait enseigner dans les écoles élémentaires du Connecticut (ce fut une surprise), des livres de comptes et… tout au fond du tiroir… un petit coffre fermé à clé. C'était bizarre. Où était la clé ? J'ai cherché dans le bureau, mais les seules clés que j'ai trouvées, c'étaient les doubles de celles de la maison.

Qu'y avait-il dans cette boîte ?

Tout à coup, j'ai compris. Je savais. Je savais. J'avais été adoptée, et mes papiers d'adoption étaient là. Et cette adoption expliquerait pourquoi je ne ressemble à personne de ma famille, pourquoi je ne fais rien comme les gens de ma famille, et pourquoi il y a si peu de photos de moi. Je n'étais pas le véritable enfant de maman et papa. J'étais un enfant non désiré, ou une orpheline comme Emily Michelle.

Encore une fois, j'ai regretté que Mimi ne soit plus là. Sinon, j'aurais pu directement aller la voir et lui demander : « Est-ce que j'ai été adoptée ? », et elle m'aurait répondu honnêtement. Mais Mimi était partie. Et il n'était pas question que je pose cette question à maman ou à papa.

J'ai vérifié que le bureau était exactement comme je l'avais trouvé avant de fouiller, puis je suis montée dans ma chambre. Je me suis assise à mon bureau pour réfléchir.

« Est-ce que j'ai vraiment été adoptée ? Qui sont mes vrais parents ? Pourquoi se sont-ils séparés de moi ? Mais alors… qui suis-je ? »

*“ Qu’est-ce que j’aurais pu dire d’autre ? « Je suis une enfant adoptée, merci, et vous comment allez-vous ? » ”*

# 5

J’ai gardé l’affreux secret de mon adoption pour moi pendant toute la semaine. Je n’ai même pas parlé à Lucy de ma découverte, et pourtant c’est ma meilleure amie au monde. J’avais envie de lui parler mais je ne pouvais pas. Pas encore. Il devait y avoir, ai-je pensé, une terrible raison pour avoir gardé secrète mon adoption. Mais quelle pouvait bien être cette terrible raison ? Quelle qu’elle soit, ce n’était pas de ma faute. Un bébé ne peut rien faire de mal. Peut-être que quelqu’un m’avait volée dans un hôpital et ensuite vendue à un avocat véreux qui avait permis à maman et à papa de m’adopter contre une énorme somme d’argent. Ensuite, maman et papa m’avaient ramenée à la maison mais, plus tard, ils avaient découvert que j’avais été volée, seulement ils avaient eu peur de me rendre. Et peut-être que nous avions tous changé d'identité et que nous sommes incognito et que nous nous cachons.

Non. J'avais dû regarder trop de films.

Toujours est-il que, si j'avais été adoptée, je voulais être au courant.

Le vendredi soir, j'ai gardé David Michael et Emily Michelle chez Kristy. Ils sont tous les deux gentils, mais il s'est avéré que ça a été une garde plutôt fatigante. David Michael était malade et, du coup, il était grognon et ne se sentait pas bien, et Kristy ne plaisantait pas quand elle avait dit qu'Emily avait des problèmes. J'ai pu m'en rendre compte par moi-même.

Je suis arrivée chez les Parker-Lelland à sept heures moins cinq. (Papa m'avait déposée. La mère de Kristy devait me raccompagner chez moi.) Alors que je me dirigeais vers la porte, j'ai entendu un grondement de tonnerre au loin. J'ai jeté un coup d'œil au ciel. Il était menaçant. Et le vent commençait à souffler. « Il va y avoir un orage », ai-je pensé.

J'ai sonné et Kristy est venue m'ouvrir. Elle était en train de partir chez les Papadakis.

– Salut et au revoir ! a-t-elle lancé gaiement. Tu sais où je suis si tu as un problème.

– D'accord, à tout à l'heure.

Kristy s'est précipitée dehors, puis elle est revenue en courant et a attrapé un parapluie dans l'entrée en disant :

– On dirait qu'il va sacrément pleuvoir.
Puis elle est repartie.
– Bonjour, Claudia ! m'a dit Mme Lelland. Ça fait plaisir de te voir ! Comment vas-tu ?
(Depuis qu'elle a déménagé, je ne vais plus tellement souvent chez Kristy. Avant je voyais sa mère pratiquement tous les jours.)
– Bien, ai-je répondu.
Qu'est-ce que j'aurais pu dire d'autre ? « Je suis une enfant adoptée, merci, et vous comment allez-vous ? » Pas question.
– Tant mieux. Bon, maintenant à nous. Sam et Charlie sont partis voir une pièce de théâtre au lycée. Tu sais où est Kristy, ma mère est sortie dîner avec des amis, et M. Lelland et moi, nous allons chez les Morgan, en bas de la rue. Nous serons de retour vers neuf heures et demie. Les numéros de téléphone des Morgan et des Papadakis sont dans la cuisine avec les numéros d'urgence. Je suis désolée mais je dois te laisser avec deux problèmes. David Michael est là-haut dans son lit. Il est malade depuis quelques jours, il est en voie de guérison mais il ne se sent pas encore très bien. Et est-ce que Kristy t'a parlé d'Emily ?
– Oui.
– Très bien. Bon, elle risque de pleurer au moment de notre départ et tu auras sans doute un peu de mal à la coucher, mais Emily te connaît, donc ça devrait aller. Maintenant, les heures de coucher…
La mère de Kristy m'a donné encore quelques

instructions et ensuite elle et Jim sont montés dire au revoir à David Michael.

J'étais dans l'entrée, avec Emily dans mes bras, quand ils sont redescendus. Emily regardait ses parents mettre leurs manteaux.

Dès que Jim a atteint la porte, elle s'est mise à hurler :

– Pas au revoir !

Elle a tendu les bras vers sa mère.

Les Lelland sont restés très calmes. Ils l'ont embrassée, lui ont dit « au revoir » gaiement et se sont glissés dehors.

Je suppose qu'un départ rapide est ce qu'il y a de mieux à faire... mais, moi, je me retrouvais avec une Emily en train de hurler « pas au revoir ! pas au revoir ! » Comme elle commençait à s'étrangler, je l'ai posée par terre. Elle a couru jusqu'à la porte et s'est jetée dessus en pleurant.

Bon, il fallait faire quelque chose.

– Viens, Emily. On va aller voir comment va David Michael. Tu n'es pas toute seule ici, tu sais. Est-ce que tu veux voir ton frère ?

Elle a répondu par un nouveau hurlement, je l'ai reprise dans mes bras et je l'ai emmenée dans la chambre de David Michael. Le temps que nous y arrivions, elle continuait à renifler, mais elle ne pleurait plus.

– Salut, David Michael. Comment te sens-tu ?

– Ça ba.

Mais il n'avait pas l'air d'aller bien. En fait, il avait l'air de mauvaise humeur.

– Qu'est-ce qu'elle a ? a-t-il demandé en pointant Emily du doigt.

– Elle est triste parce que tes parents viennent de partir.

– Oh.

David Michael, qui était enfoncé dans son lit devant la télé avec la télécommande à portée de main, s'est retourné vers son dessin animé.

– Bouh ! a fait Emily dont les larmes séchaient.

Je l'ai posée par terre et elle s'est dirigée tout droit vers la télécommande.

David Michael s'en est emparé et l'a levée au-dessus de sa tête.

– Bouh ! a hurlé Emily en essayant de l'attraper.

– Tu pourrais lui laisser un peu, non ?

– Don. Elle ba la casser. Elle abbuie sur tous les boutons en bêbe temps. Elle d'a bas le droit.

– D'accord. Écoute, David Michael, je vais donner un bain à Emily. Est-ce que tu as besoin de quelque chose ?

– Simblement du jus d'orange.

Je lui ai donc apporté du jus d'orange et j'ai fait prendre un bain à sa sœur. Le bain fut étonnamment facile. Au moins, Emily n'avait pas peur de l'eau.

Après je l'ai mise en pyjama et je l'ai ramenée dans la chambre de son frère.

– C'est l'heure de dormir, ai-je annoncé à David Michael. Pour tous les deux. Ta mère a dit que tu devais te coucher tôt pour reprendre des forces. Est-ce que tu as besoin d'autre chose ?

– Est-ce que tu beux bettre la boîte de bouchoirs à côté de bon lit ? Je bais sans doute en aboir besoin au bilieu de la duit.

– OK. Autre chose ?

– De l'eau. Et un gant de doilette hubide pour da tête. Baban a dit que ça be ferait du bien.

Quand David Michael a été enfin prêt, j'ai éteint la lumière, fermé la porte et je suis redescendue avec Emily.

– Allez, bonne nuit, lui ai-je dit en la couchant dans son petit lit.

Puis j'ai éteint la lumière.

– Aaah !

J'ai rallumé.

Emily s'est levée en disant :

– Bonjour !

Oh, oh. Qu'est-ce que je devais faire ? Emily ne s'endormirait pas avec la lumière éteinte et elle n'arriverait pas non plus à s'endormir si elle était allumée. Finalement, je suis allée dans la chambre de Karen, j'ai pris sa veilleuse et je l'ai branchée dans la chambre d'Emily.

Ensuite je lui ai redit « bonne nuit » et je suis sortie sur la pointe des pieds en laissant la porte légèrement ouverte pour qu'Emily puisse voir la lumière du couloir.

Emily s'est mise à pleurnicher mais elle ne pleurait pas vraiment. J'ai attendu un peu devant sa porte pour être sûre que tout allait bien. Puis après quelques minutes, je me suis dirigée vers les escaliers.

CRAASH ! Le tonnerre.

– Ouin-in-in !

Quelle barbe ! L'orage venait d'éclater et Emily était terrifiée. J'ai couru dans sa chambre, je l'ai sortie de son lit et je me suis installée avec elle dans le rocking-chair. Je l'ai gardée dans mes bras jusqu'à ce qu'elle s'endorme. Une fois qu'elle dormait, j'avais peur de bouger. Je ne voulais pas la réveiller mais je ne pouvais pas non plus rester assise là avec elle toute la nuit.

Avec beaucoup de précautions, je me suis levée. Emily a remué mais elle ne s'est pas réveillée. Ouf ! Je l'ai recouchée dans son lit. Elle semblait toujours dormir.

Je suis redescendue sur la pointe des pieds.

J'avais apporté mes livres de cours avec moi, et j'avais l'intention de commencer à faire mes devoirs du week-end, mais je n'arrivais pas à me concentrer. Je ne pensais qu'à une chose : à Emily et à la façon dont elle avait été adoptée. D'accord, elle avait eu un tas de problèmes mais, tous les jours, sa mère et son père lui parlaient de son adoption, même si elle était trop petite pour comprendre. Je le savais parce que Kristy me l'avait dit. Chaque jour, Jim ou sa femme dit à Emily qu'elle n'a pas été seulement adoptée mais qu'ils l'ont choisie. Et qu'elle est vraiment très spéciale.

J'aurais aimé que maman et papa me disent ça au lieu que je le découvre par moi-même à treize ans et que ça me bouleverse complètement.

Dring, dring !

Je me suis précipitée dans la cuisine pour répondre au téléphone.

– Bonjour, résidence Lelland, ai-je annoncé professionnellement.

– Salut. Ici la résidence MacDouglas.

– Oh, salut, Lucy ! Qu'est-ce qu'il y a ?

– Je pensais que tu aurais peut-être peur avec l'orage. J'ai déjà fait du baby-sitting dans cette immense maison pendant des orages et ça peut être terrifiant. Ça va ?

– Je crois, oui.

– Tu crois ? Claudia, quelque chose ne va pas ? Tu as été un peu bizarre cette semaine.

Tout à coup, je n'avais qu'une envie : avouer mon terrible secret à ma meilleure amie.

Et c'est ce que j'ai fait. J'ai tout raconté à Lucy en terminant par :

– Je ne comprends pas pourquoi maman et papa qui, du coup, ne sont pas mes vrais parents, pourquoi ils ne m'ont pas dit la vérité il y a longtemps ?

– Je ne sais pas, a répondu Lucy, perplexe. Claudia, tu es sûre d'avoir été adoptée ?

J'allais lui répondre : « pratiquement certaine », mais au lieu de cela j'ai affirmé .

– Oui, j'en suis sûre.

– Bon, je pense que tu devrais commencer par faire des recherches. D'abord, tu dois trouver qui sont tes vrais parents. Tu sais, tu ne te sentiras pas mieux tant que tu ne l'auras pas fait.

– Tu as raison, ai-je répondu doucement.

– Hé ! s'est exclamée Lucy. En fait, il y a quand même un point positif dans cette histoire !

– C'est quoi ?

– Toi et Jane le Génie, vous ne faites plus partie de la même famille !

J'étais en train de rire quand un éclair a éclaté et que le tonnerre a grondé. J'ai alors entendu des cris venant d'en haut « Mè ! Mè !... Mè ! »

– Je dois y aller. Le tonnerre vient de réveiller Emily. On en reparlera demain. Eh, ne répète à personne ce que je viens de te dire, d'accord ? C'est un secret entre nous.

– D'accord.

Nous avons raccroché et je me suis précipitée voir Emily. Je l'ai prise dans mes bras et je l'ai bercée pendant qu'elle pleurait, pleurait. Mais, même en regardant son visage baigné de larmes, je ne pouvais pas m'empêcher de penser qu'elle avait plus de chance que moi. Elle ne serait jamais choquée par la nouvelle. Et elle avait des parents adoptifs honnêtes.

*« Tu sais ce qui s'est passé ? Maman et Jim ont voulu mettre Emily à la maternelle, mais elle a été refusée.*
*– Quoi ? a hurlé Carla.*
*– L'école ne veut pas la prendre. »*

# 6

Lundi

J'ai fait du baby-sitting chez toi aujourd'hui, Kristy ! Comme tu gardais les Papadakis, je me suis occupée d'Emily Michelle et de David Michael pendant que ta grand-mère était à un tournoi de bowling et que tes parents travaillaient. Tu sais tout puisque tu es passée avec Lenny, Cornelia et Sarie, mais les autres baby-sitters ne sont pas au courant, alors je vais raconter.

*L'après-midi s'est bien passé.*
*David Michael est complètement*
*rétabli et Emily était de*
*bonne humeur.*
*Il n'y a pas eu de coup de*
*tonnerre ou de bruit qui*
*auraient pu l'effrayer. nous*
*avons donc passé un bon*
*moment ensemble. Par contre,*
*la discussion que j'ai eue*
*avec Kristy était moins*
*drôle...*

L'après-midi s'est bien passé. David Michael est complètement rétabli et Emily était de bonne humeur comme d'habitude.

Il n'y a eu aucun coup de tonnerre ou de bruits qui auraient pu l'effrayer, nous avons donc passé un bon moment ensemble. La seule chose ennuyeuse, c'est ce dont Kristy et moi avons parlé...

Emily avait quand même été un peu perturbée quand Mamie était partie, mais pas tellement. La garde de Carla chez Kristy a été plus facile que la mienne. Elle m'a téléphoné une fois rentrée chez elle pour me demander un renseignement pour les devoirs, et nous avons fini par parler d'Emily et des inquiétudes de Kristy à propos de sa petite sœur.

Carla et Kristy avaient pris le bus ensemble après l'école. C'était le moyen le plus simple pour Carla d'aller dans le quartier de Kristy car c'est trop loin pour y aller en vélo, et comme sa mère et son beau-père travaillaient tous les deux, ils ne pouvaient donc pas l'accompagner.

Enfin bon, quand Kristy et Carla sont descendues du bus, Kristy lui a annoncé :

– Je vais directement chez les Papadakis. Mamie est au courant. Qu'est-ce que tu dirais que je vienne avec les enfants tout à l'heure ? David Michael et Lenny seront contents de jouer ensemble, et peut-être qu'Emily et Sarie pourront aussi s'amuser toutes les deux. Emily ne voit pas assez d'enfants de son âge.

– Ça serait génial. Viens quand tu veux. Eh, je suis en train de t'inviter dans ta propre maison !

Kristy s'est mise à rire. Puis elle a traversé la rue et Carla a couru jusque chez les Lelland. Elle a sonné à la porte et Mamie est venue lui ouvrir.

– Bonjour, Carla. Regarde qui vient juste de se réveiller de sa sieste.

Emily était dans ses bras et se frottait les yeux. Quand elle a vu Carla, elle a enfoui sa tête dans le cou de sa grand-mère.

– Mademoiselle fait sa timide, a dit Mamie en souriant.

Elle a donné quelques instructions à Carla, puis elle lui a tendu Emily et elle est vite partie.

– Bonne chance pour votre tournoi ! lui a souhaité Carla.

Emily a commencé à pleurnicher mais, à ce moment-là, David Michael est arrivé. Il descendait tout juste du bus de l'école élémentaire.

– Bonjour, Carla ! Salut, Emily !

Emily a fait un grand sourire et a ravalé ses larmes avant qu'elles aient eu le temps de couler.

– Carla ? a demandé David Michael après avoir posé ses affaires. Est-ce que Timmy peut venir jouer avec moi ? Timmy Tsu ? Il habite en bas de la rue. Il vient d'emménager. C'est un bon joueur de base-ball et il veut faire partie des Imbattables. Je lui ai dit que nous pourrions jouer ensemble pour qu'il s'entraîne.

– Bien sûr. Appelle-le.

David Michael lui a téléphoné et quelques minutes plus tard, il jouait dans le jardin avec Timmy pendant que Carla surveillait sa petite sœur. Emily (qui ne marche pas très bien) trottait dans l'allée. Elle a humé une rose. Puis elle s'est accroupie et a attrapé une feuille. Puis elle a ramassé un caillou et l'a porté à sa bouche.

– Emily, NON ! a hurlé Carla en se précipitant vers elle.

Elle a atteint Emily juste à temps pour lui arracher le caillou des mains.

– Non ! Ça ne se mange pas, Emily, a-t-elle dit fermement. C'est un caillou.

Puis, pour insister, elle a ajouté un autre « NON ». Elle ne voulait surtout pas qu'Emily s'étrangle avec quoi que ce soit.

« Ouf, a pensé Carla. Mais normalement les

enfants de deux ans sont censés avoir dépassé le stade de tout porter à la bouche, non ? » s'est-elle dit en réalisant qu'Emily n'était pas comme les autres enfants de deux ans qu'elle connaissait. Elle pensait à Maud Barrett et à Gabbie Perkins, deux fillettes que le club garde. Elles parlent toutes les deux. (Gabbie est un peu plus vieille que Maud.) Gabbie est propre et ça ne devrait pas tarder pour Maud. Elles sont toutes les deux capables d'assembler les pièces d'un puzzle. Quand elles dessinent, on comprend bien leurs dessins. Et Gabbie a appris de longues chansons qu'elle arrive à chanter avec sa grande sœur.

Emily elle, par contre, n'est pas propre. Ses jouets préférés sont des jouets de bébé comme les anneaux qu'il faut empiler. Quand elle a des crayons dans les mains, elle gribouille. Et son vocabulaire se résume à quelques mots et à beaucoup de cris (comme « bouh » ou « da ») qu'elle utilise pour dire tout un tas de choses.

Mais elle est souriante, elle rit tout le temps et elle est très gaie. Elle est aussi affectueuse et elle essaie toujours de faire plaisir à sa nouvelle famille.

Voilà à quoi pensait Carla quand Kristy est arrivée avec les enfants Papadakis.

– Lenny ! a hurlé David Michael. Timmy est là. Eh, Kristy, est-ce que tu peux nous entraîner ? On n'a qu'à faire comme si on avait entraînement aujourd'hui, d'accord ?

– OK si ça n'embête pas Carla de surveiller

Cornélia, Sarie et Emily. Tu es d'accord, Carla ? Je m'occupe des garçons et toi des filles ?

– Parfait.

Elles ont donc divisé les enfants en deux groupes.

Carla s'est tournée vers Cornélia, Sarie et Emily. Elle ne connaît pas très bien les Papadakis.

– Qu'est-ce que tu veux faire ? a-t-elle demandé à Cornélia.

– Hum... On n'a qu'à jouer à *Dansons la capucine.* Je viens juste d'apprendre la comptine à Sarie.

– D'accord.

– Venez toutes les deux, dit Cornélia à Emily et Sarie, organisant déjà le jeu. Donnez-moi la main. Et donnez l'autre main à Carla... Tu t'appelles bien Carla, non ? a-t-elle ajouté, hésitante.

– Oui, a répondu Carla en souriant.

Elles ont formé une ronde et Cornélia a commencé à chanter.

– Dansons la capucine
Y a pas de pain chez nous
Y en a chez la voisine
Mais ce n'est pas pour nous
OUH !

Cornélia et Carla se sont assises par terre en entraînant Emily et Sarie avec elles. Sarie a pouffé de rire. Emily a eu l'air effrayée au début mais elle s'est finalement mise à rire.

– Encore ! a crié Sarie en se remettant debout. Encore, Cornélia !

Elle tirait sur le bras de sa sœur.

Carla et les filles ont recommencé. La deuxième fois, Emily a ri franchement.

Puis les filles ont continué. A chaque fois, Sarie chantait un peu plus et ensuite se baissait en faisant le pitre. Par contre, Emily ne prononçait jamais un mot. Et elle se rappelait rarement qu'il fallait s'accroupir. Carla devait quasiment toujours la tirer vers le bas. Emily avait pourtant l'air d'aimer le jeu. Elle souriait quand elle tournait et riait en regardant Sarie.

Quand Emily et Sarie se sont lassées du jeu, Cornélia les a prises sur son dos pour leur faire faire des tours du jardin. Kristy a arrêté l'entraînement et elle s'est assise dans l'herbe avec Carla. Elles ont discuté tout en gardant un œil sur les enfants.

– Je vous ai regardées pendant que vous jouiez, a dit Kristy à Carla. J'ai vu Emily.

– Oui ?

Carla n'était pas sûre de savoir où Kristy voulait en venir.

– Emily n'a pas vraiment compris le jeu, non ?

– Pas vraiment, mais elle s'est bien amusée.

Kristy a hoché la tête, puis elle a ajouté :

– Tu sais ce qui s'est passé ? Maman et Jim ont voulu mettre Emily à la maternelle. Juste deux matins par semaine. Mais elle a été refusée.

– Quoi ? a hurlé Carla.

– L'école ne veut pas la prendre. Ils disent qu'elle n'est pas prête. Elle est trop loin derrière les autres enfants. Elle doit être propre et elle doit combler son retard pour pas mal de choses. Tu l'as bien vue avec Sarie. Elles sont à peu près du même âge. Regarde comme Sarie a vite compris le jeu, alors qu'Emily, pas du tout.

– Tu as vraiment l'air inquiète.

– Oui, mais j'ai l'impression d'être la seule. Tous les autres – maman, Jim, Mamie, le Dr Dellenkamp et même les institutrices de la maternelle – pensent qu'Emily va rattraper son retard toute seule. J'aimerais pouvoir passer plus de temps avec elle, mais je suis prise par les Papadakis en ce moment.

– Bon, ne t'inquiète pas trop. Crois-moi, ça n'arrangera pas les choses. Ça ne résout aucun problème de s'inquiéter.

« Carla a raison, ai-je pensé quand elle m'a raconté tout ça. On ne peut résoudre les problèmes qu'en passant à l'action. Et c'est exactement ce que j'avais l'intention de faire. »

*“J’ai pris le combiné d’une main tremblante. J’ai dû refaire le numéro quatre fois avant d’y arriver car mes doigts étaient moites et dérapaient sur les touches.”*

# 7

J’avais décidé de passer à l’action pour retrouver mes vrais parents – mes parents biologiques. Le problème c’est que je ne savais pas du tout comment m’y prendre. Et, arrivée à la réunion du club, je n’en avais aucune idée. Mais pendant la réunion, Kristy a dit quelque chose qui a renforcé ma détermination.

La réunion en était à la moitié. On discutait, on mangeait du pop-corn, on répondait au téléphone et, en plus, on écoutait Kristy nous parler d’Emily.

– Toute la famille adore Emily. Même Andrew et Karen qui au début ne l’ont pas acceptée. Ce qu’il y a, c’est qu’elle est vraiment différente de nous tous. Et je ne parle pas de son physique. Je ne peux pas m’empêcher de la comparer à tous les membres de ma famille. Elle est lente. Elle ressemble plus à un bébé qu'à une enfant de deux ans. Quand David Michael avait deux ans, il était fasciné par les voitures et il était capable d'en reconnaître une douzaine. Et Jim dit que quand Karen avait deux ans elle inventait des histoires et Andrew, lui, savait répondre au téléphone. Et Emily ? Eh bien, de temps en temps, elle fait quelque chose qui nous surprend mais c'est plutôt rare.

Sans pouvoir m'en empêcher, je commençai à me comparer à Emily Michelle. Elle ne ressemble à personne de sa famille et moi non plus. Elle n'a pas l'air d'être aussi intelligente que les autres membres de sa famille et c'est pareil pour moi. Quand Jane était en quatrième, elle était en avance en maths et en sciences. Elle avait gagné le premier prix de sciences. Et moi ? Je réussis tout juste à passer de classe en classe, j'ai du mal à écrire correctement et je serais bien incapable de gagner un quelconque premier prix.

Et Emily est une enfant adoptée.

Donc, moi aussi. J'en étais certaine. Donc... comment pouvais-je commencer mes recherches ?

Ce soir-là, j'ai vite fini mes devoirs (en les bâclant) pour pouvoir réfléchir à la façon dont je pouvais retrouver mes vrais parents. Emily, je le savais, avait été adoptée par l'intermédiaire d'une agence qui s'appelle *Les Cigognes*.

En cherchant dans l'annuaire, j'ai trouvé leur numéro et j'ai décidé de les appeler le lendemain.

Je n'avais jamais été aussi nerveuse à cause d'un coup de téléphone. Nous étions mardi après-midi. J'étais libre jusqu'au dîner. Je n'avais même pas un baby-sitting. Et j'étais seule chez moi.

J'ai pris le combiné d'une main tremblante. J'ai jeté un coup d'œil au numéro dans l'annuaire et j'ai dû le refaire quatre fois avant d'y arriver car mes doigts étaient moites et dérapaient sur les touches.

– *Les Cigognes*, a répondu une voix charmante quand j'ai enfin réussi à composer le numéro.

– Hum… hum… bonjour.

J'ai failli raccrocher.

– J'ai… j'ai été adoptée et je recherche mes vrais parents. J'ai été adoptée il y a treize ans…

– Excusez-moi, m'a interrompue la femme. Je suis vraiment désolée, mais notre agence n'existe que depuis cinq ans. Et nous plaçons uniquement des enfants vietnamiens, a-t-elle ajouté.

– Oh ! ai-je fait, déçue.

Puis j'ai repris mes esprits, j'ai remercié la dame et j'ai raccroché.

Il n'y avait donc aucune chance que maman et papa aient pu m'adopter par l'intermédiaire des *Cigognes*. J'ai refermé les pages blanches et j'ai pris les pages jaunes de Stonebrook. Aucune autre agence d'adoption n'était répertoriée. Je suis donc descendue dans le bureau pour prendre les pages jaunes de Stamford. Sous l'intitulé « services d'adoption », il y avait des tas de noms et même des agences qui n'étaient pas à Stamford. Bon, je ne pouvais quand même pas appeler toutes les agences du Connecticut ! En plus, comment savoir si je n'avais pas été adoptée par un autre biais (par un avocat, par exemple) et non par une agence ?

Une pensée m'a traversé l'esprit. Mon certificat de naissance ! Il me dirait où j'étais née, non ?

« Bien sûr ! Bon, où maman et papa le rangent-ils ? Oh, oui. Avec tous les papiers importants, en sécurité dans un coffre à la banque. »

J'ai consulté ma montre. Normalement, notre banque ferme à quinze heures. Mais le mardi, elle reste ouverte jusqu'à dix-neuf heures. Génial ! J'ai griffonné un mot au cas où quelqu'un reviendrait à la maison avant moi. Puis j'ai couru dans le garage, j'ai enfourché mon vélo et j'ai filé en ville. Arrivée à la banque, j'ai attaché mon vélo à un lampadaire et j'ai poussé la porte tournante.

Bon. Où étaient les coffres ? J'ai demandé à l'homme qui était au bureau d'informations. Il m'a indiqué un petit escalier au pied duquel j'ai trouvé une femme derrière un guichet en verre. Elle m'a parlé à travers un hygiaphone.

– Bonjour. Mon nom est Claudia Koshi. Je suis la fille de M. John Koshi. J'ai besoin d'aller dans notre coffre.

– D'accord. Donnez-moi juste la clé... et une pièce d'identité pour que je puisse vérifier si vous êtes bien autorisée à accéder au coffre.

Je n'avais entendu qu'une chose : « Donnez-moi la clé. »

La clé ? Quelle clé ?

– Quelle clé ?

– La clé du coffre.

– Je pensais que vous l'aviez.

– J'en ai une. Vous, ou votre père, avez l'autre. J'ai besoin des deux pour ouvrir le coffre, m'a-t-elle expliqué, l'air un peu agacée.

Je me sentais complètement stupide. Pendant un moment, je n'ai pas su quoi faire. Puis je me suis pris la tête entre les mains et j'ai dit d'un ton dramatique :

– Quelle idiote ! Je n'arrive pas à croire que j'ai oublié la clé. Elle est à la maison. Désolée de vous avoir dérangée.

J'ai quitté la banque rouge comme une tomate.

Mais je n'étais pas prête à renoncer. J'avais une autre idée. Même si je n'allais plus chez le pédiatre (j'allais maintenant chez un médecin spécialisé pour les adolescents), qui pouvait mieux être au courant de ma naissance et de mon histoire que ma pédiatre, le Dr Dellenkamp ?

Son cabinet n'est pas très loin de la banque, je suis donc remontée sur mon vélo et j'ai pédalé jusque chez elle. Sur le chemin, je me suis mise à paniquer. Que se passerait-il la prochaine fois que mon père voudrait accéder à notre coffre (avec la clé, bien sûr), est-ce que la femme lui raconterait ma visite ?

Puis j'ai réalisé que je ne pouvais pas non plus

faire irruption dans le cabinet du Dr Dellenkamp et lui demander si j'avais été adoptée. Elle risquait d'en parler à mes parents.

Je devais trouver une excuse, et très vite.

J'ai activé mes neurones, mais je n'arrivais pas à trouver une excuse valable. Bon, en fait, j'en avais trouvé plusieurs mais aucune de vraiment bien. D'abord, je me suis dit que je pourrais lui raconter que Jane avait une maladie de sang rare, et que seule une personne de sa famille (sa sœur) pourrait lui sauver la vie. Mais bien sûr si je lui avais dit ça, elle aurait immédiatement téléphoné à mes parents pour demander comment allait Jane.

Puis, je me suis dit que j'allais lui raconter que je devais faire un travail pour l'école, mon autobiographie, et que je voulais commencer avec mon certificat de naissance, et aussi que j'aurais bien voulu voir mon dossier médical. Je savais que cette histoire paraissait plutôt bizarre. J'ai soupiré. Peut-être que je pourrais simplement y aller, discuter avec la secrétaire, lui dire que mon ancien médecin me manquait et demander à lui parler. Puis, une fois avec elle, je lui poserais une question d'un air désinvolte, genre : « Au fait, racontez-moi ma naissance. Est-ce que mon père était nerveux ? Est-ce que Jane est venue à l'hôpital voir sa nouvelle sœur ? »

Ça pouvait marcher. Juste au cas où, j'ai décidé de prévoir un plan de rechange. Peut-être que l'histoire du devoir pour le collège n'était pas aussi aberrante que ça finalement. A la fin, je pourrais demander à voir mon certificat de naissance.

Bien. J'étais prête.

J'ai attaché mon vélo devant le cabinet du Dr Dellenkamp. Mon cœur a commencé à s'emballer au moment où j'ai tourné la poignée de la porte en verre sur laquelle est inscrit « Cabinet de pédiatres ».

Je suis entrée et je me suis dirigée vers le bureau de la secrétaire. Elle m'a reconnue immédiatement et moi aussi. Elle s'appelle Mlle Wilson.

– Bonjour Claudia ! s'est-elle exclamée, un peu surprise. Qu'est-ce qui t'amène ici ? On ne t'a pas vue depuis plus d'un an.

Les choses commençaient plutôt bien.

– Bonjour ! Je passais juste comme ça. Cet endroit me manque un peu. Oh, et puis, j'ai aussi besoin de renseignements pour un devoir. J'aimerais parler au Dr Dellenkamp.

– Je suis désolée, Claudia, mais elle est avec un patient, m'a informée Mlle Wilson. Est-ce que je peux faire quelque chose pour toi.

– Eh bien, je ne sais pas. Je voulais lui poser quelques questions sur ma naissance... et peut-être voir mon dossier médical. C'est pour un travail scolaire, me suis-je dépêchée d'ajouter.

Mlle Wilson m'a regardée bizarrement et m'a dit :

– Claudia, le Dr Dellenkamp n'était pas ton pédiatre à ta naissance. Je pensais que tu le savais. Quand tu as commencé à la voir, tu avais deux ans et Jane en avait cinq.

J'ai froncé les sourcils. Comment avais-je pu l'oublier ? Pourquoi personne ne me l'avait jamais dit ?

– Qui était mon premier pédiatre ?

– Oh, je n'en suis pas sûre. Il faut que je demande au docteur si je peux chercher dans ton dossier médical.

– Non, non. Ce n'est pas la peine. Ce n'est pas grave.

Cela devenait un peu compliqué pour un devoir scolaire. Cela aurait pu pousser le Dr Dellenkamp à appeler mes parents. J'ai changé de tactique et je lui adressé un grand sourire.

– Oh, bon. Je vais demander à mes parents pour mon dossier médical. Mon professeur a de ces idées ! Merci, en tout cas, mademoiselle Wilson. Au revoir !

Je suis sortie en vitesse en espérant que Mlle Wilson oublierait de parler de ma visite au docteur.

Je suis rentrée chez moi en vélo, en me remémorant les événements de l'après-midi. Et, plus j'y pensais, plus j'étais convaincue que Mlle Wilson m'avait menti. Elle cachait un… secret.

*“Moi ! Professeur ? Je n’arrivais pas à y croire ! Normalement, c’est toujours moi l’élève.”*

# 8

Le lundi suivant, je suis retournée chez Kristy pour garder Emily et David Michael pendant que Kristy était chez les Papadakis.

Mais, cette fois-ci, j’ai fait le trajet en bus scolaire avec Kristy.

Cela faisait longtemps que cela ne m’était pas arrivé. C’était horrible. Les garçons embêtaient les filles de sixième et tout le monde s’amusait à lancer ses restes de sandwich dans tous les sens. J’ai demandé à Kristy comment elle faisait pour supporter ça deux fois par jour.

– Je dois être habituée, m’a-t-elle répondu alors qu’un morceau d’oignon venait de nous frôler le crâne.

Elle l’a regardé atterrir dans le couloir, puis a complètement changé de sujet comme si c’était normal de croiser des oignons volants dans le bus.

Moi, j'étais drôlement contente de descendre du bus.

Kristy a filé chez les Papadakis et moi chez elle. Mon baby-sitting a débuté à peu près comme celui de Carla la semaine d'avant. Mamie est partie, Emily s'est mise à pleurnicher, David Michael est arrivé et elle a arrêté de pleurer.

Mais, contrairement à la dernière fois avec Carla, David Michael n'a pas invité un de ses amis. En fait, c'est Timmy Tsu qui a téléphoné pour inviter David Michael chez lui.

Du coup, je me suis retrouvée toute seule avec Emily.

– Bon. Qu'est-ce qu'on va faire aujourd'hui, mademoiselle Emily ?

– Bo-é ! s'est-elle exclamée en montrant du doigt la cuisine où il n'y avait absolument rien.

Et elle m'a fait un grand sourire.

Qu'allions-nous faire toutes les deux pendant tout l'après-midi ?

Emily a trotté jusqu'au bureau et je l'ai suivie. Elle a déniché une boîte de crayons de couleur et un bloc de papier, elle s'est installée par terre et a commencé à gribouiller. Je me suis rappelée ce que Carla m'avait raconté : que les instituteurs avaient dit qu'Emily n'était pas encore prête à entrer en maternelle. Elle était trop en retard par rapport aux autres enfants.

– Eh, Emily, ai-je dit tout à coup. Montre-moi le crayon rouge.

Je voulais voir exactement ce qu'Emily savait…

pour voir si je pouvais lui apprendre quelques petites choses.

Emily m'a regardée sans rien faire.

J'ai essayé quelque chose de plus facile. Je savais qu'elle était capable de faire des choses simples.

– Donne-moi un crayon, s'il te plaît.

Avec beaucoup de précautions, très délicatement, Emily a pris un crayon bleu de la boîte et me l'a tendu.

– C'est bien ! me suis-je exclamée en en rajoutant un peu. Bravo ! Merci !

Le visage d'Emily rayonnait. Elle adore que l'on s'occupe d'elle. Elle m'a donné un autre crayon.

– Oh, merci !

Puis j'ai essayé à nouveau :

– Maintenant, cette fois-ci, donne-moi le crayon rouge.

Emily a froncé un peu les sourcils. Puis elle s'est remise à sourire… et m'a tendu le crayon violet puis le jaune.

D'accord, Emily ne connaissait pas encore ses couleurs. Elle ne devait certainement pas connaître leurs noms et du coup, elle ne pouvait pas non plus les identifier. Je devais essayer quelque chose de plus simple. Je l'ai laissée recommencer à gribouiller et, pendant ce temps-là, j'ai cherché une paire de ciseaux et du papier de couleur. J'ai découpé deux grands carrés bleus, deux grands carrés rouges et deux grands carrés jaunes.

Puis j'ai rangé les ciseaux et j'ai annoncé :

– Eh, Emily, on va jouer à un jeu !

J'ai posé trois carrés par terre, un de chaque couleur, devant elle. Elle a immédiatement abandonné ses crayons. Puis je lui ai donné le deuxième carré rouge.

– Regarde. C'est un carré rouge. Est-ce que tu vois l'autre carré rouge ?

Je lui ai montré les trois carrés qui étaient devant elle. Puis, comme je me doutais qu'elle n'avait aucune idée de ce que je voulais, j'ai pointé le doigt sur le carré rouge qui était par terre. Aussitôt, elle s'en est emparée et je l'ai félicitée comme si elle venait de faire une chose extraordinaire. Puis je l'ai chatouillée, ce qui l'a fait rire et se tortiller dans tous les sens. Je l'ai reposée par terre, et cette fois, je lui ai donné le deuxième carré jaune.

– Ça, c'est jaune, ai-je dit en insistant. Où est l'autre carré jaune ?

Emily m'a à nouveau tendu le carré rouge. Elle s'attendait à ce que je la félicite comme tout à l'heure. Hum. Ça allait être plus difficile que je ne le pensais.

J'ai essayé autre chose. J'ai mélangé les trois carrés, je les ai posés dans un ordre différent et j'ai redonné le second carré rouge à Emily.

– Emily, ça, c'est rouge. Où est l'autre carré rouge ?

Interdite, Emily a regardé les carrés qui étaient devant elle. Comme avant le carré rouge était au centre, elle a approché la main du carré du milieu, qui maintenant était bleu.

– Donne-moi le rouge, Emily, lui ai-je répété avant qu'elle ne fasse une erreur. Donne-moi celui qui est le même.

J'ai réalisé quelque chose. Je n'étais pas en train de lui apprendre les couleurs. Je lui apprenais à faire des paires. Est-ce que c'est ce que les professeurs sont censés faire ? Guider les enfants pas à pas ? Ce n'était pas facile. Je commençais à avoir un peu plus de respect pour les instituteurs de l'école de Stonebrook, et surtout pour mes instituteurs qui avaient probablement dû travailler plus dur avec moi qu'avec les autres enfants.

Emily a regardé tous les carrés qui étaient disposés devant elle.

J'ai décidé de l'aider un peu. Doucement, je lui ai pris la main en lui mettant le carré rouge dedans. Puis je lui ai fait placer son carré rouge à côté du jaune, puis à côté du bleu et enfin à côté du rouge.

– Ça y est ! Le voilà ! ai-je crié quand les deux carrés rouges ont été côte à côte. C'est le même.

J'ai levé les deux carrés pour qu'elle voie bien.

– Ils sont rouges tous les deux ! Ils sont pareils !

J'ai presque vu un déclic se faire dans la tête d'Emily. Elle a écarquillé les yeux.

– A-aah ! a-t-elle répondu.

J'ai mélangé à nouveau les trois carrés. Avant même que j'aie eu le temps de lui demander de trouver le carré rouge, Emily me l'a tendu triomphalement.

Waouh ! Je pense qu'à ce moment-là j'étais aussi fière qu'Emily. Je lui ai fait un énorme bisou pour la féliciter. Puis j'ai essayé de changer de tactique. Je lui ai pris son carré rouge et je lui ai demandé de trouver le jaune. Emily s'est trompée deux fois, puis elle a compris à quoi nous jouions. Elle a assemblé les carrés bleus comme une pro, et bientôt le jeu était trop facile pour elle. J'ai dû le compliquer un peu.

J'ai ajouté d'autres couleurs.

Puis j'ai découpé d'autres formes (mais toutes rouges pour que le jeu ne devienne pas trop compliqué). Emily arrivait à faire des paires ! Vivement que Mme Lelland rentre chez elle !

J'ai consulté ma montre. Nous avions encore vingt minutes à passer ensemble, et Emily ne s'était pas lassée de notre jeu. J'ai décidé de revenir en arrière et de lui apprendre les couleurs. J'ai donc retiré les différentes formes et j'ai reposé le carré rouge, le bleu et le jaune devant elle. Mais, je ne lui ai pas présenté un carré pour qu'elle l'assemble avec un autre. Je lui ai simplement dit :

– Emily, montre-moi le rouge.

Et puis je lui ai donné un indice en pointant le rouge du doigt. Et Emily l'a pris dans sa main !

Nous étions toujours en train de jouer au jeu des couleurs quand Mme Lelland est rentrée de son bureau. Emily était tellement concentrée sur les couleurs qu'elle n'a même pas vu sa mère au début. Quand elle a enfin relevé la tête et réalisé que sa mère était à la porte du bureau, elle a sauté sur ses pieds. Elle a couru vers sa mère et a serré ses jambes dans ses bras.

– Bonjour, madame, ai-je dit. Aujourd'hui, nous nous sommes amusées à faire des paires et à reconnaître les couleurs avec Emily.

J'étais sur le point d'ajouter : « Voulez-vous voir ce qu'elle sait faire ? » quand Emily a tiré sa mère dans la pièce et s'est mise à lui faire une démonstration.

Mme Lelland a été très impressionnée. Puis elle m'a proposé la dernière chose à laquelle je m'attendais.

– Claudia, que dirais-tu de travailler avec Emily pendant quelque temps ? Peut-être deux fois par semaine... chez toi ? Je pense que le fait d'aller dans un nouvel endroit et de travailler avec quelqu'un qui ne vit pas avec elle serait très bien pour Emily. Cela pourrait être comme d'aller à la maternelle.

Moi ! Professeur ? Je n'arrivais pas à y croire ! Normalement, c'est toujours moi l'élève. Mais, bien sûr, j'ai répondu « oui » sans aucune hésitation. Puis Mme Lelland et moi, nous avons organisé ces cours.

Quand papa est venu me chercher en rentrant de son bureau, j'étais surexcitée !

*“Myriam, Gabbie et Lucy étaient en haut depuis à peine cinq minutes quand elles ont entendu... un gros CRASH!”*

# 9

Lundi soir

J'adore garder les petites Perkins ! Elles sont tellement géniales. Je ne sais jamais à quoi m'attendre quand je vais chez elles... la seule chose dont je suis sûre, c'est que ça va être sympa et que je vais bien rigoler. Et le baby-sitting de ce soir n'a pas été différent des autres. Avant de partir, M. et Mme Perkins avaient autorisé

Myriam et Gabbie à faire
la cuisine avec de vrais
ingrédients. Je n'étais
pas très sûre de ce que
ça allait donner, mais
j'ai été surprise... agré-
ablement surprise.
Et ce n'était pas fini !
Shewy aussi m'avait
préparé une surprise.
Quel fou, ce chien !
Mais il est adorable,
quand même. Alors avis
à toutes les baby-sitters :

NE LAISSEZ JAMAIS DE
COOKIES AU CHOCOLAT
A PORTÉE DE SHEWY !

Lucy avait eu une plus grande surprise que celle des cookies ce soir-là (et moi aussi), mais elle avait été assez avisée pour ne pas en parler dans le journal de bord du club. Tout le monde aurait pu la lire, et je ne le voulais pas. C'était en rapport avec mon adoption.

Quoi qu'il en soit, Lucy est arrivée chez les Perkins à dix-huit heures trente, juste au moment où ils terminaient de dîner. M. Perkins devait aller voir un client (il est avocat) et Mme Perkins allait à un cours de chant. Elle a une voix magnifique et chante avec une chorale qui donne des concerts dans tout le Connecticut, et aussi à New York et à Washington.

– Maman ? a demandé Myriam au moment où ses parents s'apprêtaient à partir. Est-ce que Gabbie et moi, on pourrait cuisiner avec de vrais ingrédients ce soir ?

Myriam a cinq ans et demi et elle est très intelligente. Gabbie a deux ans et demi, et elle est aussi très futée. Les filles sont connues dans le quartier pour apprendre et chanter de longues chansons. Myriam prend même des cours de danse. Elles ont une petite sœur, Laura, qui a quelques mois.

– Cuisiner avec de vrais ingrédients ? a répété Mme Perkins, hésitante.

– S'il te plaît ! ont insisté Myriam et Gabbie en même temps.

– Bon, d'accord, a répondu leur mère. A condition que vous nettoyiez tout après et que vous soyez au lit à huit heures et demie. Ça vous va ?

– Promis ! ont hurlé les filles.

M. et Mme Perkins ont donné quelques instructions à Lucy pour Laura, puis Lucy leur a demandé :

– Excusez-moi, qu'est-ce ça veut dire cuisiner avec de vrais ingrédients ?

– Oh, a répondu Mme Perkins, les filles peuvent utiliser ce qu'elles trouvent dans la cuisine : lait, farine, chocolat, œufs... et confectionner quelque chose. Est-ce que je peux te demander juste deux faveurs ?

– Bien sûr.

– Fais une liste de tous les ingrédients qu'elles auront utilisés pour que je puisse les remplacer, et garde un œil sur ce qu'elles mettent dans leur création. Ne les laisse pas en manger si ça paraît vraiment trop horrible.

– D'accord, a répondu Lucy, peu convaincue.

Elle n'était pas tellement enthousiasmée par cette idée. Que devait-elle faire si les filles voulaient utiliser douze œufs ? Que se passerait-il si elles voulaient mélanger quelque chose de dégoûtant comme du lait et du vinaigre, et insistaient pour le goûter ? Mais comme les Perkins n'avaient vraiment pas l'air inquiets, elle a décidé de ne pas s'en faire non plus.

M. et Mme Perkins sont partis et Lucy s'est installée sur une chaise dans la cuisine avec Laura dans ses bras.

– Qu'est-ce que tu crois que tes sœurs vont faire ? a demandé Lucy au bébé.

Elle la tenait serrée dans ses bras, pensive. Il n'y a rien d'équivalent au sentiment qu'on éprouve quand on tient un bébé dans ses bras. Elle s'est penchée pour sentir l'odeur de bébé de Laura : lait, talc et savon.

– On va faire un gâteau au chocolat, a annoncé Myriam.

– Non, a répliqué Gabbie. On va faire une bouillie verte.

– Une bouillie verte ? a répété Lucy.

– Oui, a affirmé Gabbie, il va falloir beaucoup de trucs verts pour la faire.

– Mais ça ne se mange pas une bouillie verte ! a protesté Myriam. Tu ne voudrais pas plutôt faire des gâteaux ? Comme ça on pourrait les manger après. Je veux faire des cookies aux pépites de chocolat.

– Vous ne voulez pas une recette ? a proposé Lucy.

– Non, non.

« Oh, bon, a pensé Lucy. Elles s'amusent juste. »

Gabbie a finalement accepté de faire des cookies au chocolat à condition qu'ils soient verts. Donc d'une main experte, Myriam a sorti des placards de la farine, de la vanille, du beurre, du sucre, un œuf, du bicarbonate de soude, des pépites de chocolat et du colorant alimentaire vert. Pour quelqu'un qui voulait juste s'amuser, elle avait vraiment l'air de savoir ce qu'elle faisait.

Puis les filles ont commencé à mélanger les ingrédients. Myriam donnait les instructions et Gabbie les suivait. Pendant ce temps-là, Lucy avait Laura dans ses bras et elle surveillait les filles afin d'être certaine que rien d'interdit n'était ajouté dans la préparation.

Myriam avait l'air très sûre d'elle, et elle n'utilisait même pas un verre doseur ou des cuillères pour mesurer les quantités. Elle ajoutait simplement les ingrédients au hasard et goûtait le mélange de temps en temps. Puis elle disait :

– Je pense qu'il faut plus de farine, Gabbie.

Ou :

– Juste un peu plus de sucre.

Les filles discutaient en même temps qu'elles cuisinaient.

– Tu sais quoi, Gabbou ? lui a demandé Myriam. Mes amies Dana et Fiona vont partir en colo cet été.

– C'est quoi « encolo » ?

Myriam a essayé de lui expliquer.

Gabbie avait l'air perplexe. Finalement, elle a dit :

– Moi, ça me plaît pas « encolo ». Je préfère rester avec papa et maman.

Myriam a haussé les épaules.

– Bon, voilà. Maintenant il faut ajouter le colorant vert et les pépites de chocolat en mélangeant bien. Après, notre pâte sera prête.

Myriam a laissé tomber quelques gouttes vertes dans le saladier pendant que sa sœur y versait une montagne de pépites de chocolat.

Lucy a regardé la cuisine, qui était dans un état pas possible, puis Laura qui s'était endormie.

– Je ferais mieux d'aller mettre votre sœur au lit, les filles. Vous pouvez nettoyer pendant ce temps-là ?

– Bien sûr, ont-elles répondu.

Puis Myriam a ajouté :

– Est-ce qu'après on pourra faire cuire les cookies ?

Les faire cuire ? Des cookies verts ? Lucy n'avait pas pensé à ça. Elle pensait que les filles faisaient juste de la bouillie.

– Je ne sais pas...

– S'il te plaît ! l'a suppliée Gabbie.

– S'il te plaît ! a insisté Myriam. Ça prendra même pas dix minutes.

– Je vais y réfléchir pendant que je mets Laura au lit. Vous commencez à nettoyer, d'accord ? Mais ne touchez pas au four.

Lucy a donc porté Laura à l'étage. Les Perkins avaient emménagé dans l'ancienne maison de Kristy, et la chambre de Laura était l'ancienne chambre de David Michael. Lucy a couché Laura (qui était déjà en pyjama), elle a éteint la lumière et elle est redescendue sur la pointe des pieds.

Les filles étaient toujours en train de ranger la cuisine. Lucy leur a donné un coup de main. Quand tout a été à sa place, Lucy a examiné la pâte. Elle ne pouvait pas la goûter à cause de son diabète mais, bizarrement, elle avait l'air bonne malgré sa couleur. Du coup, avec les filles, elles ont fait des tas de pâte sur deux plaques qu'elles ont ensuite enfournées… et elles ont laissé les gâteaux cuire pendant dix minutes, comme Myriam l'avait indiqué.

Une fois le temps écoulé, Lucy a ouvert la porte du four. Les cookies étaient verts, bien sûr, mais à part ça, ils avaient l'air extra.

– Vous êtes de véritables cordons bleus, toutes les deux ! C'est incroyable, vous avez fait ça sans recette.

– Est-ce qu'on peut en avoir chacune un avant d'aller se coucher ? a demandé Gabbie.

– Bien sûr. Laissez-les d'abord refroidir un peu. En attendant, on n'a qu'à monter dans vos chambres pour que vous vous mettiez en pyjama.

Myriam, Gabbie et Lucy étaient en haut depuis à peine cinq minutes quand elles ont entendu… un gros CRASH !

– Oh-oh ! a dit Myriam. Je parie que c'est Shewy.

– Shewy ? Je croyais qu'il était dehors, a remarqué Lucy.

(Shewy, le diminutif pour Shewbacca, est le labrador noir des Perkins. C'est le chien le plus gentil du monde, mais c'est aussi celui qui fait le plus de bêtises.)

– Il était dehors, lui a expliqué Myriam, mais on l'a fait rentrer pendant que tu couchais Laura.

– Il pleurait derrière la porte, a ajouté Gabbie. Il avait l'air tellement triste.

Lucy et les filles se sont précipitées au rez-de-chaussée. Lucy était plus qu'inquiète. Qu'allaient-elles trouver ? Qu'est-ce que Shewy avait cassé ?

Elles ont traversé le salon en courant. Rien à signaler.

Elles ont traversé la salle à manger en courant. Rien à signaler non plus.

Puis elles sont arrivées à la cuisine.

Une des plaques était tombée par terre. Elle était sous la table avec des cookies en miettes partout. Shewy se tenait sur ses pattes de derrière, prêt à faire tomber la deuxième.

– Shewy ! Non ! a hurlé Lucy.

Shewy a regardé autour de lui comme pour dire : « Oh, bonjour tout le monde. J'étais juste sur le point de, hum… eh bien, non, non, je n'allais pas manger ces cookies si c'est ça que vous pensez. »

– Il ne faut pas le laisser en manger ! s'est mise à hurler Myriam. Le chocolat, c'est mauvais pour lui.

Lucy a pris Shewy par son collier et l'a emmené dans le garage.

– Désolée, mais c'est pour ton bien.

Elle est retournée dans la cuisine pour aider les filles à ramasser les miettes de gâteaux qui jonchaient le sol et, ensuite, elle leur en a donné un chacune.

– Huuum ! s'est exclamée Myriam.

– Un gâteau tout vert ! s'est extasiée Gabbie.

Lucy leur a lu *Le Bateau vert* (à la demande de Gabbie) et les a mises au lit. Puis elle est redescendue. Dans la salle de jeux, elle a regardé la bibliothèque des filles. Les Perkins ont un ami qui travaille dans une maison d'édition de livres pour enfants, et il leur envoie tout le temps des livres : des petits en tissu pour Laura jusqu'aux romans pour Myriam.

Lucy a parcouru les étagères des livres les plus gros et elle est tombée sur un livre avec un titre intéressant : *La Longue Quête de Nathalie.* C'était écrit par un auteur qui s'appelle Lois Lowry… et c'était l'histoire d'une fille adoptée, Nathalie Armstrong, et de sa quête pour trouver sa vraie mère !

Lucy n'arrivait pas à y croire. Elle a feuilleté le livre puis elle m'a téléphoné.

– Claudia ! s'est-elle exclamée. Tu ne devineras jamais ce que j'ai trouvé. Je garde les Perkins et ils ont un livre…

Lucy me raconta ce qu'elle avait lu, et je faillis m'évanouir. Il ne me restait plus qu'à me procurer un exemplaire de ce livre.

*“Peut-être que j’allais découvrir quelque chose d’important. Et c’est ce qui s’est passé. J’ai découvert quelque chose d’important... et de complètement inattendu.”*

# 10

Quand Lucy m’a téléphoné, j’ai noté le titre et l’auteur du livre qu’elle avait trouvé. Je lui ai même fait épeler le nom de l’auteur pour être certaine de ne pas me tromper. Je fais souvent des fautes d’orthographe mais, cette fois-ci, je ne voulais pas me tromper.

– *La Longue Quête de Nathalie,* a répété Lucy.

– *La Longue Quête*, ai-je dit lentement en l’écrivant, *de Nathalie.*

– Et l’auteur c’est ?

– Lois Lowry.

– Une seconde. Lois ?

– Oui. L-O-I-S. Et son nom, c’est L-O-W-R-Y.

– D’accord. Merci, Lucy. Je suis sûre que ce livre va être important pour moi.

Le lendemain, je suis arrivée en avance à l’école pour pouvoir aller à la bibliothèque avant le début des cours. La bibliothécaire était très étonnée de me voir et c'est plutôt normal : je vais très rarement à la bibliothèque.

J'espérais vraiment trouver le livre à l'école, et pas seulement parce que j'avais hâte de l'avoir entre mes mains. Mais, vous voyez, je n'avais aucune envie d'avoir à aller le chercher à la bibliothèque municipale. Il y avait trop de risques que je tombe sur ma mère. Ou, même si je la croisais pas, un de ses amis bibliothécaires aurait pu lui dire : « Tu sais, Claudia est venue aujourd'hui et elle a emprunté *La Longue Quête de Nathalie.* » Non, je ne pouvais pas risquer ça.

Heureusement, le livre était là. Notre bibliothèque en avait deux exemplaires. J'en ai emprunté un. J'ai passé le mardi et le mercredi à le lire en cachette : pendant les heures de permanence, pendant un cours de sciences ennuyeux (j'avais caché le livre dans mon livre de cours), après l'école, et même dans mon lit avec une lampe électrique après l'heure à laquelle je dois éteindre.

Ce n'était pas facile. Je ne lis pas très vite (sauf quand c'est un livre d'Agatha Christie) mais le mercredi à vingt-trois heures trente j'avais terminé le livre. Après avoir lu le dernier mot, j'ai soufflé et j'ai refermé mon livre. Terminé. J'avais besoin de réfléchir à beaucoup de choses, mais ça attendrait le lendemain. J'étais vraiment trop fatiguée. Je me suis endormie immédiatement.

Le jeudi, à peine réveillée, je me suis mise à penser, penser, penser. Ce roman m'avait donné plein d'idées. Et il m'avait aussi rendue triste. Vous voyez, dans ce livre, la famille adoptive de Nathalie Armstrong est très honnête avec elle. Et quand elle dit qu'elle veut retrouver sa vraie mère, ses parents lui donnent toutes les informations qu'ils ont sur son adoption, puis ils la laissent faire ses recherches. Ils lui louent même une voiture. (Évidemment, elle était plus âgée que moi.)

Pourquoi mes parents n'étaient pas comme ça avec moi ? Pourquoi n'étaient-ils pas comme la famille de Nathalie ? Ou comme les Lelland ? Je parie que mes parents continueraient à nier mon adoption même si je retrouvais ma mère, que je l'emmenais chez moi et que je la présentais à tout le monde.

Oh, bon. Au moins, j'avais quelques idées pour continuer mes recherches. Malheureusement, je devais attendre le vendredi pour faire ma prochaine démarche : aller à la bibliothèque municipale (cette fois, je ne pouvais pas y échapper), et attendre que ma mère soit occupée pour qu'elle ne me voie pas. Tous les vendredis après-midi, maman a une réunion dans la salle de conférences au deuxième étage de la bibliothèque. J'avais besoin d'utiliser un lecteur de microfiches au premier étage. Donc, j'avais planifié ma visite à la bibliothèque pour qu'elle tombe en même temps que sa réunion.

La réunion commence toujours à quinze heures trente. A quinze heures trente-cinq, j'ai garé mon vélo devant la bibliothèque. A quinze heures trente-six, j'ai monté les marches et passé la porte d'entrée.

La première chose que j'ai faite, c'est de vérifier qui était au bureau principal. Super. C'était un étudiant bénévole. J'espérais que je trouverais un autre étudiant bénévole pour m'aider avec le lecteur de microfiches. Les étudiants ne viennent pas assez souvent pour savoir que je suis la fille de Mme Koshi.

Je me suis frayé un chemin derrière le bureau d'informations puis je me suis dirigée vers la section des périodiques où je voulais aller. Et il y avait un étudiant installé au bureau ! Génial. Je ne l'avais jamais vu avant. Peut-être que c'était un signe et que j'allais découvrir quelque chose d'important.

Et c'est ce qui s'est passé. J'ai découvert quelque chose d'important... et de complètement inattendu.

– Excusez-moi...

L'étudiant a relevé la tête de son livre et m'a regardée à travers ses épaisses lunettes.

– Oui ? Est-ce que je peux vous aider ?

– J'espère. J'ai besoin de voir des vieilles annonces de naissance dans le *Stonebrook News.* Et... et j'aurais besoin que vous me montriez comment on utilise un lecteur de microfiches. Enfin, si cela ne vous embête pas.

– Pas du tout. Je suis là pour ça. Quels numéros voulez-vous voir ?

J'avais décidé de chercher dans les journaux de la semaine de ma naissance et aussi dans ceux des deux semaines suivantes au cas où cela aurait mis un peu de temps avant que l'annonce ne paraisse.

Le garçon m'a installée devant un lecteur et m'a montré comment l'utiliser. Puis il m'a laissée toute seule.

J'ai rapidement trouvé les annonces de la semaine de ma naissance. Il y avait des noms que je connaissais : ceux d'enfants avec qui j'étais à l'école. Mais pas le mien.

J'ai cherché dans les journaux des deux semaines suivantes. Aucune Claudia Koshi. Ou Claudia quelque chose. Perplexe, je suis retournée voir l'étudiant. Je lui ai demandé de voir le mois suivant, et ensuite, le mois précédant ma naissance (on ne sait jamais). Était-ce possible que mon anniversaire ne soit pas mon véritable anniversaire ? Que je sois née quelques semaines plus tôt, mais qu'à cause de problèmes avec les papiers de l'adoption j'ai été enregistrée comme étant née un autre jour ?

A ce moment-là, tout me paraissait possible. Je me suis donc mise à éplucher les annonces de ces deux mois.

Pas de Claudia.

J'ai soupiré. Cela voulait dire que j'avais été adoptée par l'intermédiaire d'une agence et que je n'étais pas née à Stonebrook. Ou bien j'avais été adoptée à Stonebrook où j'étais née mais ma vraie mère m'avait donné un autre nom. Puis maman et papa l'avaient légalement changé en Claudia. De toute façon, j'avais été adoptée. Toutes les annonces de naissances sont automatiquement publiées dans le journal local. Et aucune Claudia Koshi n'était mentionnée.

J'ai laissé ces nouvelles faire leur chemin dans mon esprit.

Puis j'ai respiré profondément et j'ai repris la liste des bébés qui étaient nés la semaine que je pensais être celle de ma naissance. Il fallait que je retrouve ces bébés. C'était un bon point de départ. Je ne pouvais pas, de toutes manières, rechercher tous les bébés qui étaient nés cette année-là.

Dix bébés étaient recensés cette semaine-là : six garçons et quatre filles. J'ai immédiatement éliminé les garçons. Il ne me restait donc que les filles. L'une d'elles s'appelait Francie Ledbetter. Je l'ai éliminée aussi : elle est à l'école avec moi. Il ne me restait plus que trois filles. Étais-je l'une d'elles ? Est-ce que mes parents avaient adopté Kara Ferguison ou Daphné Selsam ou Resa Ho ? Aucune d'elles n'avait un nom japonais (et je ne pouvais pas mettre en doute le fait que je sois asiatique), mais j'ai décidé que ça n'avait pas d'importance. Tous les Japonais n'ont pas forcément un nom japonais. Ou peut-être que ma vraie mère était japonaise et que mon vrai père était américain, et que j'avais les traits de ma mère et le nom de mon père. Qui sait ?

J'ai sorti un crayon et du papier. En m'appliquant, j'ai recopié les noms des trois bébés et de leurs parents :

- *Sara Ferguison, née de M. et Mme Jim Ferguison de Rosedale Road.*
- *Daphné Selsam, née de M. et Mme Terance Selsam de High Street.*
- *Resa Ho, née de M. et Mme George Ho, en visite de Cuchara, État du Wyoming.*

Ce troisième bébé, Resa Ho, m'intriguait. Tout d'abord, Ho était un nom intéressant. Est-ce qu'il n'y a pas un chanteur hawaïen qui s'appelle Don Ho ? Est-ce que je pourrais être hawaïenne ou polynésienne et non japonaise ? Peut-être. Ensuite, le journal disait que les parents de Resa étaient en « visite ». Mais étaient-ils vraiment en visite ? Ou étaient-ils venus à Stonebrook pour avoir le bébé parce qu'ils savaient qu'ils ne pourraient pas le garder et qu'ils s'étaient arrangés pour que mes parents l'adoptent ? Je ne sais pas si les adoptions privées se passent comme ça, mais cela semblait possible. Et est-ce que les Ho venaient vraiment du Wyoming ? Peut-être qu'ils avaient voulu protéger leur identité. En fait, peut-être que leur nom n'était pas Ho du tout. Peut-être que c'était Hoshikawa ou Hoshimo, ou même Yagamuchi ou quelque chose de ce genre.

Je commençais un peu à avoir une idée de ce que j'allais faire.

Je commençais aussi à avoir peur.

J'ai téléphoné à Lucy tout de suite en rentrant de la bibliothèque.

– Lucy ? Est-ce que tu pourrais rester après la réunion aujourd'hui ? Tu pourrais dîner avec nous et comme ça, on pourrait discuter après. Vraiment discuter. On n'a pas fait ça depuis longtemps.

– Claudia, qu'est-ce qui se passe ? Je vois bien qu'il y a quelque chose qui ne va pas.

– Je te le dirai ce soir.

Et comme Lucy est ma meilleure amie, elle ne m'a pas posé plus de questions. Elle savait que je lui parlerais quand je serais prête.

*« Pourtant, ce n'était pas si facile que ça de téléphoner à des inconnus. Mon estomac se tordait. C'était pire que le trac avant un exposé. C'était tout mon passé qui était en jeu. »*

## 11

Lucy est restée dîner. Personne de ma famille n'a trouvé ça bizarre. Ni que Lucy monte avec moi dans ma chambre pour discuter. On faisait ça assez souvent.

Au début, on a papoté... l'école, les garçons et d'autres choses sans importance. Et surtout, on a parlé pendant quasiment une demi-heure de ce garçon, Trevor Sandbourne, que j'aime beaucoup. Pendant tout ce temps, Lucy se demandait de quoi je voulais vraiment parler, parce qu'elle savait bien que ce n'était pas de Trevor.

Finalement, j'ai pris une grande respiration et j'ai dit :

– Bon, j'ai lu *La Longue Quête de Nathalie*. Du début à la fin.

– C'est vrai ?

J'ai hoché la tête.

– Et ça m'a donné des idées pour mes recherches. Tu sais comment Nathalie Armstrong a été adoptée ? De manière privée. Je veux dire, par l'intermédiaire d'un avocat et non par l'intermédiaire d'une agence comme Emily Michelle.

– Mmm.

– Eh bien, peut-être que c'est comme ça pour moi aussi. Je suis peut-être même née ici, à Stonebrook, d'un couple – un très jeune couple – qui savait qu'ils n'étaient pas prêts à élever un enfant. Donc, ils ont décidé, avant ma naissance, de me faire adopter par une famille qui voulait un bébé. Peut-être que maman et papa avaient découvert qu'ils ne pouvaient plus avoir d'enfant après Jane.

– Comme mes parents.

– Exactement. Donc, tu sais ce que j'ai fait aujourd'hui ? Je suis allée à la bibliothèque municipale et j'ai regardé les annonces de naissances.

J'ai raconté à Lucy tout ce qui s'était passé et ce que j'avais appris.

– Ça paraît un peu tiré par les cheveux, a remarqué Lucy quand j'ai eu terminé mon histoire. Je veux dire, pourquoi tu n'aurais pas été adoptée par l'intermédiaire d'une agence ? Ou peut-être que c'était une adoption privée, mais pas ici à Stonebrook ? Tu pourrais être née n'importe où.

– Je sais. Mais ça prouve une chose. J'ai été adoptée. Si j'étais née de maman et papa, l'annonce aurait été dans le journal. C'est comme ça que ça se passe. Toutes les naissances sont répertoriées. Et la mienne ne l'est pas.

– C'est vrai.

– Et il y a une chance que je sois née à Stonebrook. Cela aurait été sans doute plus facile comme ça. Mes parents n'auraient pas eu besoin de voyager avec un nouveau-né.

– C'est vrai aussi.

– Alors, tu sais quoi ? Je crois que je vais aller voir ces trois couples. Ça pourrait être un bon point de départ. Simplement, je ne sais pas trop comment faire.

– Leurs adresses étaient dans le journal, non ?

– Oui. Mais c'était il y a treize ans.

– Et alors ? Ta famille vit dans cette maison depuis plus de treize ans. Et les Pike ont vécu dans la leur pendant très longtemps, aussi. Et jusqu'à récemment Kristy et Mary Anne vivaient dans la maison où elles sont nées.

– D'accord...

– Allez, va chercher l'annuaire de Stonebrook, m'a-t-elle pressée, complètement surexcitée.

– Oh ! là, là, là, là ! Ce que je suis nerveuse !

J'ai rapporté l'annuaire. J'ai fermé la porte et Lucy et moi, nous nous sommes installées côte à côte sur mon lit.

J'ai d'abord cherché les Ferguison. M. et Mme James Ferguison de Rosedale Road étaient bien répertoriés, juste là sur la page qui était devant nous.

– Je ne peux pas le croire ! ai-je crié.

J'ai noté leur numéro de téléphone, puis j'ai cherché les Selsam, mais je ne les ai pas trouvés.

J'ai soupiré, déçue.

– N'abandonne pas déjà. Tu as toujours leur adresse. Peut-être qu'ils ne sont simplement pas dans l'annuaire.

– Oh, tu as raison ! ai-je dit en reprenant confiance.

Puis, même si cela semblait complètement inutile, j'ai cherché les Ho. Bien sûr, ils n'y étaient pas.

– Bon, tu as deux pistes. Tu peux téléphoner aux Ferguison et tu peux aller chez les Selsam en vélo. Ce n'est pas très loin.

– C'est vrai.

J'ai attrapé le téléphone. Puis j'ai jeté un œil à ma montre.

– OH, NON ! Il est dix heures passées. Je ferais mieux d'attendre demain pour appeler les Ferguison.

– Et je ferais mieux de rentrer chez moi ! s'est exclamée Lucy en se levant.

– Ma mère va te raccompagner. Viens.

Après le départ de Lucy, je suis remontée dans ma chambre.

« Demain, je contacterai les Ferguison et les Selsam. »

J'étais tellement nerveuse que je savais que j'allais avoir du mal à m'endormir.

Tout juste. J'ai à peine fermé l'œil de la nuit.

Quand je me suis réveillée, le samedi matin, mes yeux étaient tout collés.

Mais j'étais prête à passer à l'action, j'étais montée sur ressorts.

J'ai eu une chance incroyable. Vers dix heures et demie, mon père est parti faire des courses et maman et Jane sont allées à la bibliothèque – maman pour travailler et Jane pour faire des recherches.

Dès qu'ils ont été partis, je me suis précipitée dans ma chambre pour téléphoner. Je n'allais même pas avoir besoin de fermer ma porte ou de parler tout bas. Encore une fois, la chance était avec moi.

Pourtant, ce n'était pas si facile que ça de téléphoner à des inconnus. J'avais inventé une histoire (j'en avais trouvé une bien pendant la nuit alors que je ne dormais pas) mais mon estomac se tordait. C'était pire que le trac avant un exposé. C'était tout mon passé qui était en jeu.

Mais ça ne servait à rien de repousser le moment fatidique, alors j'ai décroché le combiné et j'ai composé le numéro. Un homme a répondu.

– Bonjour, résidence Ferguison.

J'ai supposé que c'était M. Ferguison.

– Hum, bonjour. Je m'appelle Claudia Koshi. J'habite à Stonebrook. Et, hum, je suis vraiment désolée de vous déranger mais, à l'école, nous devons faire une recherche sur les noms. On m'a donné le nom Ferguison à cause de sa prononciation inhabituelle. J'ai décidé de faire... de faire un arbre généalogique.

(Je savais que c'était plutôt vague, mais j'espérais que l'homme se prêterait au jeu pour que je puisse raccrocher très vite.)

– Oui ?

– Eh bien, je me demandais si vous aviez des enfants. Je veux dire, pour que je puisse les mettre dans l'arbre. J'ai juste besoin de connaître leurs noms et leurs dates de naissance. Vous avez des enfants ?

– Oui. Kara, Marcie et Joseph, m'a-t-il répondu.

Puis il m'a donné leurs dates de naissance. Kara était née la même semaine que moi.

J'ai fait comme si c'était une coïncidence extraordinaire.

– Hé ! Devinez quoi ? J'ai treize ans, comme Kara. Je me demande pourquoi je ne la connais pas. Nous devons être dans le même collège.

(Je voulais être sûre de l'existence de Kara Ferguison.)

– Elle va au collège privé de Stonebrook.

– Ah, c'est sûrement pour ça. Eh bien, merci pour votre aide. C'est très gentil de votre part de m'avoir répondu. J'ai besoin d'avoir une bonne note pour ce devoir.

M. Ferguison s'est mis à rire. Puis nous nous sommes dit au revoir et nous avons raccroché.

Et de un. Je devais passer au second. Il était temps que j'aille chez les Selsam. Une fois encore, grâce à ma nuit blanche, j'avais une histoire toute prête pour expliquer ma visite.

Quand je suis arrivée devant leur maison, j'ai réalisé que je n'étais pas aussi nerveuse que quand j'avais appelé *Les Cigognes* ou les Ferguison. Peut-être que je m'habituais à jouer les détectives.

J'ai sonné à la porte vigoureusement.

Une femme est venue ouvrir. Elle était jeune et jolie. Un petit garçon se cachait timidement derrière elle.

– Madame Selsam ?

– Non, a-t-elle répondu, l'air gênée.

– Oh. Je suis désolée de vous déranger. Vous voyez, j'habitais Stonebrook avant, mais nous avons déménagé. Et nous sommes revenus pour des vacances. Je suis à la recherche de ma meilleure amie du jardin d'enfants. Nous ne sommes pas restées en contact. Elle s'appelle Daphné Selsam. Je sais qu'elle habitait dans cette maison.

La femme a souri.

– Les Selsam étaient les anciens propriétaires. Ils habitent à Lawrenceville maintenant. Ce n'est pas très loin. Peut-être que quelqu'un pourra vous emmener là-bas. En fait, je crois même que j'ai leur numéro de téléphone. Vous pouvez patienter deux minutes ?

La femme s'est éloignée dans la maison et elle est revenue avec un morceau de papier qu'elle m'a tendu.

– Merci !

Je suis retournée chez moi et j'ai appelé les Selsam sans aucune appréhension. J'ai raconté à la femme qui m'a répondu la même histoire que celle que j'avais racontée à M. Ferguison.

Et j'ai découvert qu'il y avait bien une Daphné Selsam et qu'elle avait treize ans.

Il ne restait donc plus qu'un seul bébé à retrouver : le bébé des Ho de Cuchara, Wyoming, si c'était bien leur vrai nom et s'ils étaient bien du Wyoming.

Mais comment allais-je faire ? J'étais à court d'idée. Mon esprit avait trop travaillé. Je me suis dit que j'allais faire une petite pause. Ces recherches devenaient un peu trop intenses.

J'étais toute contente que Lucy m'appelle.

– Alors ? m'a-t-elle demandé.

– J'ai joué au détective toute la matinée. Est-ce que je peux venir ? Je te raconterai tout.

– Je ne manquerais ça pour rien au monde. Mais que dirais-tu d'un après-midi à ne rien faire ? Je suis un peu fatiguée aujourd'hui. Du coup, maman m'a dit de rester au lit.

– Au lit ? ai-je répété.

– Oui. Ça veut dire que j'ai le droit d'être habillée et que je peux me lever quand j'en ai vraiment besoin, mais je suis censée rester le plus de temps possible allongée.

– Bon, je vais venir te distraire. Je vais te raconter ce qui s'est passé, et je vais apporter avec moi quelques fournitures pour qu'on puisse faire des bijoux. Ça ne devrait pas être trop fatigant.

– Génial !

Je suis allée chez Lucy en vélo et j'ai passé l'après-midi avec elle. C'était bien de faire une pause dans mes recherches.

*« – Dis-moi ce qui t'embête. Vas-y. Dis-moi ce qui ne va pas.*
*Au début David Michael est resté muet, puis il a explosé :*
*– Je déteste Emily ! »*

# 12

Lundi,
Cette après-midi, la rivalité entre mon frère et ma sœur a atteint son point culminant. (C'est pas une phrase géniale, « a atteint son point culminant » ? J'ai lu ça quelque part.)
Enfin bref, David Michael est jaloux d'Emily parce qu'en ce moment elle est le centre de toutes

les attentions. C'est vrai qu'Emily nous accapare beaucoup, mais elle en a besoin. Elle a des problèmes et il faut qu'on s'occupe d'elle : en l'emmenant travailler chez Claudia, chez le médecin, etc. Mais David Micheal se rend compte qu'on lui consacre moins de temps qu'avant. Donc, quand je l'ai gardé cet après-midi, j'ai essayé de le rassurer. J'espère que ça va aller mieux maintenant.

– Kristy, où est partie Mamie avec Emily cette fois-ci ?

C'est la première chose que David Michael a demandé à Kristy quand elle a commencé son baby-sitting avec lui. C'était un lundi, plusieurs semaines après le début de mes cours avec Emily, et Kristy devait s'occuper de son frère. Sa mère et Jim étaient au bureau, bien sûr, ses grands frères avaient des activités après l'école, et Mamie venait de partir avec Emily.

– Elle emmène Emily à la maternelle.

– Pourquoi ? Et pourquoi elle y va maintenant ? Il est trois heures et demie.

(David Michael est très fier de savoir lire l'heure et en plus d'avoir une montre à lui.)

– Mamie l'emmène pour qu'elle soit réévaluée.

– Quoi ?

Les instituteurs sont d'accord pour tester à nouveau Emily. Maman et Jim pensent qu'elle a fait de gros progrès depuis que Claudia s'en occupe. Si c'est bien le cas, les instituteurs la laisseront sans doute entrer en maternelle.

– Oh.

David Michael a donné un coup de pied dans son cartable qu'il avait laissé par terre.

Kristy a fait comme si de rien n'était. Elle lui a juste dit :

– Viens. On a un entraînement des Imbattables aujourd'hui et il faut qu'on aille à pied jusqu'au terrain. Et ensuite on rentrera aussi à pied. Sam ne peut pas nous emmener ni venir nous chercher.

– D'accord, a-t-il grommelé.

Kristy et son frère se sont changé et ils ont enfilé leur maillot des Imbattables. Puis Kristy a pris son équipement et elle s'est mise en route avec David Michael.

Le trajet pour aller au terrain est assez long et David Michael est resté silencieux pendant au moins la moitié du chemin. Au bout d'un moment, Kristy en a eu assez.

– Bon, qu'est-ce qu'il y a, David Michael ?

David Michael fixait ses pieds.

– Dis-moi ce qui t'embête. Vas-y. Dis-moi ce qui ne va pas.

Au début son frère est resté muet, puis il a explosé :

– Je déteste Emily !

– Tu la détestes ?

– Non, je la déteste pas vraiment, mais tout le monde s'occupe d'elle.

– Hum. Tu sais, quelquefois moi aussi je suis jalouse d'Emily.

(C'était très intelligent de la part de Kristy de dire ça. Elle n'accusait pas son frère ; elle supposait simplement qu'il était jaloux et elle avait l'air de trouver ça naturel. Ensuite elle admettait qu'elle aussi était jalouse. Comme ça, il se sentait moins coupable.)

– Toi ? a demandé David Michael timidement.

– Oh, oui. Elle passe du temps avec Claudia, qui est mon amie, et maman et Jim parlent d'elle à longueur de journée.

– Oui.

David Michael avait l'air en colère.

– Alors tu sais ce que je fais ?

– Quoi ?

– Je me dis deux choses. La première, c'est qu'Emily a vraiment des problèmes et qu'elle a besoin d'aide, et que maman et Jim seraient aussi attentifs avec moi si, moi aussi, j'en avais besoin. Et la deuxième, c'est qu'il y a beaucoup de choses que je peux faire et qu'Emily ne peut pas faire. Réfléchis, si tu étais Emily, tu ne pourrais pas jouer au base-ball. Tu ne pourrais pas lire. Tu ne pourrais pas regarder tes programmes de télé préférés parce que tu ne serais pas capable de les comprendre. Tu ne pourrais pas aller à des goûters d'anniversaire...

– Je n'aurais pas d'amis, a continué David Michael, et je ne pourrais pas faire du vélo ou du skate-board.

– Exactement. Tu sais quoi ? J'aime Emily. Vraiment. Mais je pense aussi que tu es génial. Tu es gentil avec tes amis. Tu es drôle. Tu aimes les animaux. Et tu es aussi un grand frère super pour Karen et Andrew, et même pour Emily.

– Est-ce que je suis un bon joueur de base-ball ?

Kristy ne pouvait quand même pas mentir.

– Tu vas devenir un très bon joueur.

Cette réponse a paru satisfaire son frère.

Ce qu'il faut savoir sur les Imbattables, c'est que ce ne sont pas vraiment de bons joueurs.

C'est d'ailleurs pour ça que Kristy a mis en place cette équipe au début. Elle savait qu'il y avait plein d'enfants de Stonebrook – garçons et filles – qui étaient trop jeunes ou pas assez bons pour rejoindre la Petite Ligue. Elle a donc décidé de créer une équipe pour ces enfants. Et elle s'est retrouvée avec des gamins qui savaient à peine jouer mais qui étaient vraiment très motivés. Ils s'entraînaient dur, s'encourageaient les uns les autres et ne se décourageaient jamais. En fait, ils travaillaient tellement dur qu'ils avaient été plusieurs fois sur le point de battre les Invincibles de Bart. C'est une autre équipe d'enfants qui ne font pas partie de la Petite Ligue. Il y a pourtant une différence entre les Invincibles et les Imbattables : les Invincibles sont plus vieux que la plupart des Imbattables et ils sont bons. Et ce qui est rigolo, c'est que Kristy et Bart Taylor sortent ensemble quelquefois, même s'ils entraînent des équipes rivales. Ils ne sont pas vraiment petit ami et petite amie (pas encore), mais, à mon avis, ça va arriver.

Bon, quand Kristy et son frère sont arrivés au terrain ce jour-là, David Michael se sentait vraiment plus sûr de lui grâce aux compliments que sa sœur venait de lui faire. Et cela s'est répercuté plus tard pendant l'entraînement.

– Votre attention ! a crié Kristy en tapant dans ses mains.

Toute l'équipe s'est rassemblée autour de son entraîneur. Il y avait Myriam et Gabbie Perkins

(Gabbie, vous vous souvenez, n'a que deux ans et demi) ; Simon Newton, qui s'enfuit à chaque fois qu'une balle se dirige vers lui ; Max Delaney et Cornélia et Lenny Papadakis, qui ont du mal à frapper la balle ; Jackie Rodowsky (la catastrophe ambulante) ; Matt Braddock, qui est sourd ; et d'autres enfants dont Timmy Tsu qui venait de rejoindre l'équipe. Devinez qui d'autre était là ? Les pom-pom girls des Imbattables : Vanessa Pike, Charlotte Johanssen et Helen Braddock !

L'entraînement a commencé. Kristy a divisé les Imbattables en deux équipes et a choisi David Michael comme lanceur de son équipe. Puis elle a fait un petit discours d'encouragement :

– Maintenant, allez-y et jouez bien ! Vous êtes les meilleurs ! Vous avez bientôt un match contre les Invincibles !

David Michael a lancé exceptionnellement bien ce jour-là et Cornélia a manqué la balle.

Myriam s'est mise en place, a tapé dans la première balle de David Michael et a couru jusqu'en deuxième base.

Tout le monde l'encourageait, même les enfants de l'autre équipe. C'est tout à fait l'esprit des Imbattables.

Puis c'était au tour de Claire de frapper dans la balle. Kristy a échangé un coup d'œil avec les pom-pom girls. Immédiatement elles l'ont encouragée :

– Allez, Claire ! Allez, Claire !

Mais Claire n'a pas réussi. Et, comme tout le monde le redoutait, elle a piqué une colère.

– Pas juste ! Pas juste ! Pas juste ! a-t-elle hurlé en devenant toute rouge.

Vanessa a l'habitude des colères de sa sœur. Elle l'a prise à part et l'a calmée puis Claire est retournée dans son équipe.

– Bon, on change de côté ! a annoncé Kristy au bout d'un moment.

Les batteurs ont pris leurs places sur le terrain et Kristy a aligné les autres joueurs dans leur ordre de frappe.

Le nouveau lanceur était un garçon appelé Jake Kuhn. David Michael était le premier batteur. Il a tapé dans la balle et… CRAC ! Il a fait un home run.

– Vas-y, David Michael ! a hurlé Kristy.

Et le reste des enfants criaient et sautaient dans tous les sens.

L'équipe de David Michael avait gagné. Ses équipiers (en fait, tous les Imbattables) l'ont entouré pour le féliciter d'avoir si bien joué.

– Peut-être que je suis prêt pour la Petite Ligue maintenant, s'est-il vanté.

– Oh, non ! Tu ne peux pas nous abandonner ! a protesté Timmy Tsu.

– Oui, les Imbattables ont besoin de toi, a ajouté Max Delaney.

David Michael n'a pas pu se retenir de sourire.

– D'accord, je vais rester une saison de plus.

Ensuite, les enfants ont commencé à partir.

Kristy et son frère allaient s'en aller quand quelqu'un a tapé sur l'épaule de Kristy.

Elle s'est retournée et s'est retrouvée nez à nez avec Bart Taylor… (elle a failli avoir une attaque !)

– Bart !

Son cœur battait à cent à l'heure.

– Je savais que je te trouverais ici.

– Tu espionnes les Imbattables, alors ? a plaisanté Kristy.

– Bien sûr que non. Je voulais simplement faire le chemin avec toi.

Bart a glissé le bras autour des épaules de Kristy.

David Michael les regardait sans rien dire. Kristy s'est rendu compte qu'il se sentait, une fois encore, tenu à l'écart et du coup, elle a glissé son autre bras autour de lui.

– J'ai vraiment de la chance. J'ai deux garçons géniaux pour me raccompagner jusque chez moi.

(Et elle avait aussi deux garçons géniaux pour l'aider à porter l'équipement.)

David Michael rayonnait.

Quand ils sont arrivés chez les Lelland, Kristy était prête à inviter Bart à entrer… mais, juste à ce moment-là, la voiture de Mamie a fait irruption dans l'allée.

– Bart. Je dois y aller. Je t'expliquerai plus tard. Merci d'être venu me chercher à l'entraînement. Ça m'a fait très plaisir.

Comme Bart est assez cool, il est parti sans poser aucune question.

Kristy s'est précipitée vers Mamie.

– Qu'est-ce qu'ont dit les instituteurs ? Qu'est-ce qu'ils ont dit ?

Mamie était en train de détacher Emily de son siège auto.

– Oh, chérie. Nous ne le saurons pas tout de suite. Les instituteurs ont besoin de plusieurs jours pour examiner les résultats des tests.

– Oh !

Kristy était déçue, mais elle était confiante. Elle m'a dit plus tard :

– Claudia, j'ai confiance en toi. Je suis certaine que tu as aidé Emily. Tu es vraiment douée !

Eh bien, j'espérais qu'elle avait raison.

*« Ensuite, j'ai téléphoné à Lucy.*

*– Devine quoi ? J'ai trouvé ma vraie mère.*

*– Tu plaisantes ! »*

# 13

Le lendemain, Samuel a déposé Emily chez moi pour un cours. Honnêtement, Sam pourrait monter une société de chauffeurs. Il ferait certainement fortune.

– Salut, mademoiselle Emily, ai-je dit en ouvrant la porte.

Sam a déposé sa petite sœur par terre.

– Bonjour, Ko-ia, a-t-elle répondu.

Elle a souri. Elle commençait à dire bonjour aux gens, à les appeler par leurs prénoms qu'elle prononçait aussi bien qu'elle le pouvait.

– Bonjour, Claudia. Je reviens chercher Emily d'ici une heure, d'accord ?

– Parfait. A tout à l'heure.

– Au revoir Emily, a fait Samuel en descendant le perron.

– Au revoir, Sam-è.

Aucun gémissement. Elle était venue chez moi plusieurs fois et elle savait que Samuel (ou quelqu'un d'autre) viendrait la rechercher. Ses frayeurs commençaient à disparaître.

– Bon, Emily, ai-je annoncé en la faisant entrer. On va aller dans ma chambre.

Nous travaillions toujours dans ma chambre. J'avais décidé de fixer des habitudes avec Emily, exactement comme si elle était à l'école et qu'elle allait toujours dans la même salle de classe.

Nous sommes donc montées au premier étage. (Emily n'est pas très rapide pour grimper les escaliers.) Puis nous sommes passées devant la chambre de Jane.

– Bonjour, Jè ! a lancé Emily chaleureusement.

Qui pouvait résister à ça ? Personne, et même pas Jane.

– Emily ! s'est exclamée ma sœur.

Et elle lui a tendu un ballon qu'elle avait manifestement gardé pour elle.

– Qu'est-ce qu'on dit ? ai-je murmuré à Emily.

– Merci, a-t-elle répondu aussitôt.

Puis je lui ai demandé :

– Emily, de quelle couleur est ton ballon ?

– Gon-fer !

– Oui, mais de quelle couleur est-ıl ?

– Rouze. Gon-fer !

Comme elle avait bien répondu, je lui ai gonflé son ballon. Puis nous sommes allées dans ma chambre où je l'ai installée par terre. J'ai posé le ballon sur mon bureau.

– Tu le reprendras quand Samuel viendra te chercher.

(Si je la laissais jouer avec, elle ne serait jamais capable de se concentrer.)

Pendant l'heure suivante, Emily a travaillé dur.

Elle était devenue une pro des paires, elle connaissait le nom de quelques couleurs et elle reconnaissait des formes. Elle n'arrivait cependant pas à dire les noms des formes, car c'était trop difficile. Une fois, je lui avais demandé de dire « triangle » et elle m'avait regardée comme si j'étais folle.

La leçon de ce jour-là portait sur les chiffres. En regardant les *Télétubbies*, Emily avait déjà appris à compter jusqu'à dix, mais les mots ne voulaient rien dire pour elle. Elle débitait simplement (très vite) : « un-deux-trois-quatre-cinq-six-sept-huit-neuf-dix ». Je devais donc lui apprendre ce que ces mots signifiaient.

J'ai mis trois triangles bleus par terre devant elle.

– Beu !

– Très bien, Emily. Ils sont bleus, et ils sont tous pareils, ce sont des triangles, mais combien y en a-t-il ?

Avant qu'Emily puisse avoir l'impression de ne rien comprendre, j'ai pris son doigt et je l'ai pointé sur chaque triangle en disant clairement :

– Un… deux… trois !

– Quatre-cinq-six-sept-huit-neuf-dix ! a continué Emily triomphalement.

– Non, on va recommencer.

C'est donc ce que nous avons fait. J'ai ajouté un autre triangle et j'ai compté jusqu'à quatre. Cet après-midi-là, nous avons compté des cercles, des carrés, les doigts et les orteils d'Emily, mes chaussures, des crayons. Et enfin, juste quand Sam est arrivé, nous étions en train de compter les carrés de chocolat que j'ai donnés à Emily comme récompense pour ses efforts. Elle ne comptait pas encore super bien, mais ça allait venir.

Quand elle est partie, j'ai fermé doucement la porte de ma chambre. J'entendais le cliquetis du clavier de Jane et je savais qu'elle travaillait dur et qu'elle était probablement à des millions de kilomètres d'ici dans sa tête, mais je ne voulais prendre aucun risque. J'avais décidé de téléphoner dans le Wyoming et je ne voulais pas que Jane m'entende.

Il m'avait fallu longtemps, très longtemps pour trouver le courage de passer ce coup de téléphone dans le Wyoming mais là, j'étais prête. Si je n'appelais pas, je ne retrouverais jamais Resa Ho, et je le regretterais vraiment un jour. J'en étais certaine.

J'ai sorti l'annuaire.

J'ai cherché l'indicatif du Wyoming en espérant désespérément qu'il n'y en aurait qu'un seul.

Et, ouf, c'était le cas.

C'était le 307.

Je ne me suis pas laissé une seconde de répit. Je me suis lancée et j'ai composé le (307) 555-1212, le numéro des renseignements.

– Quelle ville, s'il vous plaît ? m'a demandé l'opératrice.

– Cuchara.

– Très bien, allez-y.

Allez-y ? Ah, elle voulait savoir quel numéro je voulais.

– J'ai besoin du numéro des Ho.

– Des Ho ?

– Oui, Ho. H-O.

– Il y a trois Ho à Cuchara, mademoiselle, m'a-t-elle répondu patiemment. Est-ce que vous connaissez leur adresse ou est-ce que vous avez un prénom ?

– Hum, est-ce qu'il y a un George Ho ?

– Je suis désolée, je n'ai pas de George.

– Oh. Bon, pouvez-vous me donner les numéros des trois Ho que vous avez ?

L'opératrice m'a donné les numéros de Mary Ho, de Sydney et Sheila Ho et de Barry et Patty Ho.

– Merci.

J'ai raccroché et j'ai continué sur ma lancée. J'ai composé le numéro de Mary Ho. Le téléphone a sonné vingt fois. Pas de réponse. Elle n'était pas chez elle.

Ensuite j'ai essayé Sydney et Sheila Ho. Une femme m'a répondu dès la première sonnerie ! Et ensuite – je vous jure que je ne sais pas comment j'ai eu cette idée – je me suis retrouvée en train de dire :

– Mes félicitations ! Votre fille Resa a été choisie comme gagnante de…

– Excusez-moi, m'a coupée la femme, mais je n'ai pas de fille qui s'appelle Resa. Ma fille s'appelle Pamela.

– Est-ce qu'elle a treize ans ?

– Oui.

– Hum.

J'ai fait mine d'être perplexe.

– Est-ce que vous connaissez une jeune fille de treize ans à Cuchara qui s'appelle Resa ?

– Non.

La femme avait l'air agacée.

– Quel dommage. Je veux dire, pour votre fille. Elle aurait été la gagnante d'une télévision couleur et d'un magnétoscope.

Puis j'ai raccroché et j'ai appelé Barry et Patty Ho en essayant le même subterfuge. Mais le garçon qui m'a répondu m'a dit qu'il avait quatorze ans et qu'il avait deux petits frères.

J'ai essayé à nouveau Mary Ho. Toujours aucune réponse.

Ensuite, j'ai téléphoné à Lucy.

– Devine quoi ? J'ai trouvé ma vraie mère.

– Tu plaisantes !

Lucy semblait stupéfaite.

Je lui ai expliqué ce qui s'était passé quand j'avais appelé le Wyoming et que, par élimination, Mary devait être ma mère.

Après un long silence, Lucy m'a dit :

– Claudia, écoute. Peut-être que tu as été adoptée. Mais je ne crois pas que Mary Ho soit forcément ta mère. Tout d'abord, tu ne lui as pas parlé et tu ne sais rien d'elle. Et puis, qu'est-ce qui te fais dire que tu es née à Stonebrook ?

– Je ne sais pas. Ça semble logique, c'est tout. Une fois, j'ai entendu une histoire à propos d'une femme qui avait accouché d'un enfant qu'elle ne pouvait pas garder et alors le médecin qui l'avait accouchée a adopté le bébé. Ce bébé est sans doute né dans la ville où vit sa mère. Bon, de toute manière, réfléchis. Je ne ressemble à personne de ma famille. J'ai un physique différent. Je crois que je suis peut-être seulement à moitié asiatique. Je pense…

Je me suis mise à pleurer.

– Claudia, calme-toi. Tu t'emballes trop vite. Regarde, dans une famille, chacun est différent. Je suis la seule MacDouglas à avoir du diabète. Et réfléchis, Jessi et Becca sont très différentes. Et regarde Nicky Pike. Tu dis que ça ne va pas dans ta famille mais, lui, ses frères se moquent de lui et il n'aime pas jouer avec ses sœurs.

J'ai reniflé.

– Je suppose que tu as raison.

– Ce qui est sûr, a continué Lucy, c'est que tu ne te sentiras pas mieux tant que tu ne connaîtras pas la vérité. Tu n'es même pas certaine d'avoir été adoptée.

– Mais comment vais-je faire pour le savoir ? Je ne sais plus comment chercher.

– Demande à tes parents.

– Ils ne me diront jamais la vérité.

– Comment peux-tu en être tellement sûre ? Ils t'ont dit la vérité quand Mimi était malade. Ils t'ont dit la vérité à propos de plein de choses. Pose-leur la question. Tu dois le faire.

J'ai soupiré.

– D'accord. Je leur parlerai après le dîner.

*“Vous m’avez menti ! ai-je fini par lâcher. Toutes ces années. Jamais, non jamais, vous ne m’avez dit que vous m’aviez adoptée.”*

## 14

Vous pensez que ça a été dur d’attendre la fin du dîner ?

Eh bien, vous avez raison.

Mais je n’avais pas le choix. Quand maman et papa sont rentrés du bureau, ils étaient affamés et du coup nous nous sommes tout de suite mis à table. Et je n’allais pas aborder le sujet de mon adoption devant Jane. J’avais besoin d’avoir une discussion en tête à tête avec mes parents. Mes parents adoptifs.

Le dîner a été plutôt pénible. Mon estomac se tordait à nouveau et j’avais du mal à manger. Je ne pouvais pas me concentrer non plus. Je passais mon temps à dire « Quoi ? Quoi ? » et maman m’a demandé deux fois si je me sentais bien. Elle s’est même penchée vers moi pour me toucher le front. Quand Jane a fait tomber sa fourchette, j'ai sursauté comme une folle. J'ai failli tomber de ma chaise. A ce moment-là, j'ai vu maman et papa échanger un regard inquiet qui, bien entendu, me concernait.

Pendant tout le dîner, je m'étais creusé la tête pour trouver comment demander à mes parents d'avoir une discussion en tête à tête avec eux, mais finalement, je n'ai même pas eu besoin de le faire. C'est eux qui me l'ont proposé. Ils ont commencé par dire :

– Jane, tu peux ranger la cuisine ce soir, s'il te plaît ?

– Mais c'est le tour de Claudia, a répliqué ma sœur.

– Tu vas échanger pour ce soir, lui a dit papa d'un ton qui n'admettait aucune contestation. Claudia rangera demain.

– D'accord, a répondu Jane en faisant la moue.

Puis maman a ajouté :

– Viens dans le bureau, Claudia. Ton père et moi, nous voulons te parler.

Ils voulaient me parler ? Allaient-ils me dire qu'ils étaient au courant de ce que j'avais fait – mes recherches et tout le reste – et qu'ils avaient décidé de me dire la vérité ?

Non.

Nous nous sommes installés dans le bureau, maman et papa sur le canapé avec moi entre eux. Une Claudia en sandwich entre ses parents.

– Claudia, a commencé mon père, visiblement quelque chose ne va pas. Tu n'avais pas l'air bien au dîner ce soir. Nous espérons que tu vas nous dire ce qui ne va pas et nous laisser t'aider.

J'ai hoché la tête. J'avais une énorme boule dans la gorge qui m'empêchait de parler.

– Est-ce que tu as des problèmes à l'école ? m'a demandé doucement maman.

Elle a repoussé une mèche de mon front.

J'ai secoué la tête.

– Ce n'est pas un interrogatoire, a dit papa en essayant de plaisanter.

Je n'ai même pas réussi à sourire.

– Tu t'es disputée avec Lucy ?

Une nouvelle fois, j'ai secoué la tête. Et ensuite, je n'ai pas pu me retenir de fondre en larmes.

Mes parents ont eu l'air très inquiets.

– Claudia ?

– Vous m'avez menti ! ai-je fini par lâcher.

Sans le voir, je savais que maman et papa échangeaient un regard interrogatif au-dessus de ma tête.

– Nous t'avons menti ? a répété papa.

– Oui, ai-je affirmé en hoquetant. Toutes ces années. A chaque fois que vous disiez : « Quand Claudia est née… », ou « Quand Claudia était bébé… », ou « Quand Claudia est rentrée de la maternité… ». Et jamais, non jamais, vous ne m'avez dit que vous m'aviez adoptée.

– Adoptée ! s'est exclamée ma mère.

– Oui. Je sais tout. J'ai trouvé les indices. Tout se tient. Il n'y a aucune photo de moi bébé et il y en a des tonnes de Jane. Des tonnes, ai-je ajouté en insistant.

– Mais…, a commencé papa.

– Et je suis tellement différente de vous et de Jane. Vous êtes tous intelligents et vous êtes assez… – comment on dit ? – classiques. Alors que je suis mauvaise en classe, que je m'habille de façon plutôt originale et que j'aime bien faire la folle. En plus, je ne ressemble même pas à l'un d'entre vous.

Mais…, est intervenue maman.

– En plus, ai-je continué, j'ai trouvé le petit coffre fermé à clé. Là, ai-je dit en désignant le bureau. Je ne fouillais pas. Juré. Je cherchais plus de photos de moi bébé parce que je n'en avais pas trouvé beaucoup dans les albums. Je sais que mes papiers d'adoption sont dans cette boîte.

– Mais…, a essayé papa.

– Et enfin, l'ultime preuve, c'est qu'il n'y a aucune annonce de naissance pour moi dans le *Stonebrook News*. Je suis allée à la bibliothèque et j'ai cherché avec le lecteur de microfiches. Donc, je sais que je ne suis pas née ici. Ou si c'est le cas, ma vraie mère m'a donné un autre nom. Alors, maintenant, je vous demande de me dire la vérité. Allez-y. Je suis prête.

Mes parents avaient l'air choqués. C'est la seule manière de décrire leur expression. Je parie qu'ils n'avaient pas pensé que j'étais assez intelligente pour découvrir tout ça.

– Allez-y, les ai-je défiés.

– Claudia, chérie, m'a répondu maman. Tu n'as pas été adoptée.

Elle a prononcé ces mots tellement simplement que je l'ai crue immédiatement.

– Je n'ai pas été adoptée ?

– Non, ont répliqué mon père et ma mère en même temps.

– Vous voulez dire que je suis votre véritable enfant ?

– Bien sûr.

Papa m'a pris la main.

– Mais, et les photos ? ai-je demandé.

Maman a paru embarrassée.

– Je suis désolée, mais nous n'avons aucune explication pour ça, excepté le fait que tu es le deuxième enfant. C'est une triste réalité mais il y a souvent plus de photos du premier bébé que du deuxième. Les parents sont complètement émerveillés par leur premier bébé. Ils ont du mal à croire que c'est eux qui lui ont donné la vie. Du coup, ils n'arrêtent pas de prendre des photos. Mais, quand le deuxième enfant – ou le troisième ou quatrième ou cinquième – arrive, ils sont plus habitués. Et ils n'ont pas autant de temps pour prendre des photos parce que le nouveau bébé n'est pas leur seul enfant. Ils sont plus occupés.

Je me suis un peu détendue.

– Et tu sais, a ajouté papa, crois-moi, tout le monde est différent. Ce serait triste si tous les membres de la famille étaient exactement pareils.

– Regarde Peaches et moi, a insisté maman. Qui pourrait deviner que nous sommes sœurs ? Tu sais, toi et Peaches, vous vous ressemblez beaucoup.

– Et, tu sais, est intervenu papa, tu ressembles énormément à Mimi quand elle était jeune.

– C'est vrai ?

– Oui, a affirmé ma mère les larmes aux yeux. Je te montrerai des vieilles photos de Mimi plus tard.

Je me sentais de mieux en mieux.

– Maintenant, a demandé papa, est-ce que tu voudrais savoir pourquoi ta naissance n'a pas été annoncée dans le *Stonebrook News* ?

– Oui. Vraiment beaucoup.

– Parce qu'elle a été annoncée dans la *Gazette de Stonebrook*. Et aussi celle de Jane.

– La *Gazette de Stonebrook* ? C'est quoi ?

– Un journal local qui s'est arrêté il y a environ neuf ans.

– Si tu retournes à la bibliothèque et que tu regardes dans la *Gazette* sur le lecteur de microfiches, tu trouveras l'annonce de ta naissance, m'a assuré maman. Mais ne t'embête pas avec ça, j'ai un exemplaire du journal dans le bureau de ma chambre.

– Oh, waouh !

Je me suis mise à rire, et mes parents m'ont souri.

– Tu te sens mieux ? s'est enquis mon père.

– Je me sentirai complètement bien quand

vous m'aurez montré ce qu'il y a dans cette boîte qui est dans le premier tiroir du bureau.

Papa n'a pas hésité une seconde. Il s'est levé, a pris ses clés dans sa poche et a ouvert la boîte qu'il avait tirée du tiroir. Il l'a tenue ouverte devant moi.

Elle était pleine d'argent.

– Oh, là, là ! ai-je hurlé. C'est pour quoi faire ?

– Pour les urgences, m'a expliqué maman. Il y a cinq cents dollars dans cette boîte. Et rien d'autre. Nous aimerions cependant que tu n'en parles à personne. Nous ne voudrions pas être volés. L'argent est là au cas où nous aurions un besoin urgent d'argent liquide en pleine nuit.

Je me suis effondrée sur le canapé.

– Je n'arrive pas à y croire, ai-je murmuré. Je me sens tellement idiote. Vous devez penser que je suis folle.

– Bien sûr que non, m'a rassurée papa. Nous pensons que tu es brillante et sensible et créative. Et différente.

J'ai souri.

– Et nous t'aimons exactement comme tu es, a ajouté maman. Nous savons aussi que ce n'est pas facile d'avoir treize ans. Je suppose que c'est encore plus difficile pour toi que pour la plupart des autres enfants avec une sœur comme Jane.

– Ça, c'est sûr.

– Bon, surtout, a dit papa, dans l'avenir, si tu te poses d'autres questions, viens nous en parler tout de suite, d'accord ?

– D'acc', et je suis vraiment, vraiment désolée de vous avoir accusés de m'avoir menti.

Maman et papa m'ont souri. Puis nous nous sommes embrassés.

Et ensuite, bien évidemment, j'ai filé dans ma chambre pour téléphoner à Lucy.

Plus tard, maman m'a montré des photos de Mimi. Nous avons comparé les photos de Mimi quand elle avait douze ans avec les miennes au même âge.

Nous aurions pu être jumelles.

Cette nuit-là, j'ai dormi avec une des photos de Mimi sous mon oreiller.

*“J’ai souri jusqu’aux oreilles. Je me sentais tellement fière. Moi, Claudia Koshi, l’élève de quatrième médiocre, j’étais professeur ! Et un excellent professeur.”*

# 15

Nous étions vendredi, ça faisait trois jours que j’avais découvert que je n’avais pas été adoptée. J’attendais que mes amies arrivent pour la réunion du Club des baby-sitters. Pendant ce temps-là, je regardais le mur au-dessus de mon bureau. J’y avais accroché un nouveau truc. Je peins des tableaux ou je fais des dessins pour décorer ma chambre, et je les change souvent.

Et pourtant, là, ce n’était pas l’une de mes créations. Enfin, pas vraiment. J’avais pris une photo de Mimi quand elle avait douze ans et une de moi datant de mon année de cinquième, et je les avais collées sur un carton pour les mettre l’une à côté de l’autre dans un même cadre. Je savais que je ne le décrocherais jamais. Ce cadre resterait accroché dans ma chambre jusqu'à ce que je parte à l'université (si je suis acceptée un jour dans une université), et ensuite, je pourrais l'emporter avec moi pour le mettre au-dessus de mon bureau dans ma chambre universitaire.

J'étais tellement absorbée dans la contemplation des photos que je n'avais même pas entendu Lucy entrer dans ma chambre.

– Oh, oh ! a-t-elle fait en découvrant les photos. C'est toi et Mimi, c'est ça ?

– Euh… Ah, oui.

Je m'efforçais de ne pas montrer à Lucy qu'elle avait failli me tuer en s'approchant de moi comme ça, sans faire de bruit.

– Eh bien, il n'y a aucun doute : Mimi est bien ta grand-mère. Tu es son portrait tout craché.

– Oui, et si elle était toujours vivante, elle m'aurait probablement montré ses photos dès que j'ai commencé à penser que j'avais été adoptée…

– Sans doute, a acquiescé Lucy. Mais il faut apprendre à se débrouiller sans les gens que nous aimons.

(Je savais que Lucy était en train de penser à son père et au divorce de ses parents.)

– Dis donc, quelle conversation joyeuse ! me suis-je exclamée.

Lucy s'est mise à rire. Puis elle s'est laissée tomber sur mon lit.

– Je suis épuisée, a-t-elle déclaré. Pourtant cet après-midi, j'ai gardé Laura Perkins, et elle a dormi pratiquement tout le temps. On croirait que j'ai couru un marathon. Carla va prendre la chaise de bureau aujourd'hui parce que je revendique une place sur le lit.

J'ai regardé Lucy d'un œil inquiet. Elle était toujours fatiguée ces derniers temps.

– Lucy…, ai-je commencé.

J'étais sur le point de lui faire la morale quand Kristy est entrée en trombe.

– Salut, vous deux ! a-t-elle hurlé.

Elle s'est installée dans le grand fauteuil, a mis sa visière et coincé un crayon derrière son oreille.

Dans les cinq minutes qui ont suivi, Jessi est arrivée, puis Mal, et enfin Mary Anne et Carla. Tous les membres du Club des baby-sitters étaient présents.

– Une info pour le club ? nous a demandé Kristy.

– Je vais essayer de nous trouver quelque chose à goûter, ai-je annoncé.

– Tout à fait d'accord, a approuvé Mallory.

– Bon, OK, a fait Kristy. Claudia, fais passer ce que tu as de caché sous ton lit, et ensuite j'ai des nouvelles à vous apprendre. Des nouvelles concernant le club, a-t-elle dit en insistant sur le mot « club ».

J'ai sorti un paquet de mini barres au chocolat de sous ma couette et un sachet de chips de sous mon oreiller. Pendant que mes amies se servaient, Kristy a repris :

– Bon, il y a toutes sortes de nouvelles. D'abord, M. Papadakis – je veux dire, le grand-père de Cornélia, Lenny et Sarie – rentre demain. Il est guéri de sa pneumonie et sa hanche est complètement remise.

– C'est génial ! se sont exclamées Carla et Mary Anne en même temps.

– Je sais, a continué Kristy. Mais, je dois admettre que ces gardes vont me manquer. Les enfants Papadakis sont tellement géniaux. Je les adore vraiment. Vous auriez dû voir ce qu'ils ont fait pour souhaiter la bienvenue à leur grand-père chez lui.

– Quoi ? a demandé Jessi.

– Une carte de bienvenue qui est plus grande que Lenny.

– Tu plaisantes ? s'est étonnée Lucy.

Kristy a secoué la tête.

– Non. Ils ont travaillé dur pour la faire. Même Sarie. Mme Papadakis leur a donné beaucoup de matériel – des napperons en papier, des paillettes, des étoiles, enfin plein de choses. Lenny a écrit : « BIENVENUE A LA MAISON, POPPY » en grosses lettres, Cornélia les a coloriées et Sarie a collé des gommettes partout. La carte est vraiment sympa et ils sont très fiers de leur œuvre.

– C'est vraiment super, ai-je dit.

– Oui. Bon, maintenant que je n'aurai plus ces gardes régulières chez les Papadakis, je vais pouvoir passer plus de temps avec ma famille. Ce qui m'amène à mon autre nouvelle. Les instituteurs ont donné à maman et à [illegible] les résultats du deuxième test d'Emily.

Nous avons toutes retenu notre souffle.

– Et elle a bien réussi.

Nous avons toutes poussé un soupir de soulagement.

– Les instituteurs disent qu'Emily a fait beaucoup de progrès. Tout d'abord, elle n'a plus peur de tout. Elle fait plus confiance aux autres. Quand on la laisse quelque part, ou qu'on la laisse toute seule dans sa chambre, elle sait que quelqu'un viendra la rechercher. Elle n'aime toujours pas les coups de tonnerre ou le noir, et elle pleure toujours de temps en temps la nuit, mais elle va beaucoup mieux pour plein de choses.

– Et pour la maternelle ? ai-je demandé d'une voix tremblante comme un parent nerveux.

– Les instituteurs sont d'accord pour qu'Emily vienne à partir de la rentrée, a répondu Kristy. C'est très bien pour nous. Elle aura trois ans à ce moment-là, ce qui est exactement l'âge auquel Karen et Andrew y sont allés aussi. Et…

Dring, dring !

– Je réponds, a annoncé Carla. Bonjour, le Club des baby-sitters, Carla Schafer à votre service. (Un silence.) Oh, bien sûr. Je vous rappelle tout de suite. Au revoir.

Carla a raccroché et nous avons arrangé un baby-sitting pour les Delaney (ils habitent dans le quartier de Kristy). Mais pour ça nous avons dû téléphoner à nos membres intérimaires car nous étions toutes prises ce jour-là. Heureusement, Louisa Kilbourne a pu prendre cette garde.

Le téléphone a sonné deux autres fois ensuite, et nous avons été occupées avec nos emplois du temps. Kristy était aux anges. Elle adore les réunions animées.

Ça s'est finalement calmé et Kristy a pu continuer l'histoire d'Emily.

– Cet été, nous allons devoir lui apprendre à être propre. Mais je pense qu'Emily y arrivera. Les instituteurs étaient vraiment épatés par les progrès d'Emily. Et ça, c'est grâce à toi, Claudia.

J'ai souri jusqu'aux oreilles. Je me sentais tellement fière. Moi, Claudia Koshi, l'élève de quatrième médiocre, j'étais professeur ! Et un excellent professeur. Je pouvais apprendre des choses à des enfants, et tellement bien que de vrais professeurs étaient impressionnés !

– Tu te rappelles comme tu étais inquiète à propos d'Emily, Kristy ? a demandé Jessi.

– Oui. Je crois que je m'en suis trop fait. Maman, Jim, le médecin et les instituteurs n'arrêtaient pas de dire qu'Emily allait bien. Mais j'avais peur que quelque chose n'aille vraiment pas. Heureusement, ils avaient raison. Ils savaient ce qu'ils faisaient. Oh, vous savez ce que les instituteurs ont dit d'autre ?

Kristy me regardait.

– Quoi ?

– Que tu pourrais continuer à faire travailler Emily. Maman veut t'en parler. Ils pensent que tes petits cours préparent bien Emily pour l'école.

– Waouh ! Ils veulent vraiment que je la fasse travailler ?

– Oui. Je pense que je pourrais le faire, ou Mamie. Mais maman dit que c'est bien pour Emily d'être avec quelqu'un qui n'est pas de la famille. En plus, tu fais un travail génial.

– Merci ! Je peux appeler ta mère ? Nous n'avons pas organisé le prochain cours d'Emily. Tu crois qu'elle est rentrée du bureau ?

Kristy a consulté sa montre.

– Je ne sais pas. Ça dépend. Peut-être. Essaye de l'appeler, d'accord ?

– D'accord.

J'ai composé le numéro des Parker-Lelland.

Après trois sonneries, j'ai entendu un bruit à l'autre bout du fil. Puis il y a eu un silence et une petite voix a dit avec entrain :

– Ayo !

Oh, là, là ! Emily avait répondu au téléphone.

– Emily, c'est Claudia.

– Bonjour, Ko-ia.

– Bonjour !

J'ai posé ma main sur le combiné.

– Eh, vous toutes ! Vous n'allez jamais me croire. Emily a répondu au téléphone !

Kristy a écarquillé les yeux.

– Oh ! J'aimerais lui parler.

Je lui ai tendu le téléphone.
– Salut, Emily ! C'est moi, Kristy.
Kristy s'est tue et elle a souri. Puis elle nous a regardées et a annoncé :
– Emily a juste dit « ayo ».
Bon, bien sûr, tout le monde a voulu parler à Emily. Après, j'ai demandé à Kristy :
– Tu crois que ta mère est là ? Quelqu'un a dû aider Emily à prendre le téléphone, et j'ai toujours besoin de parler à ta mère pour organiser les prochains cours.
Kristy s'est mise à rire.
– J'avais oublié.
Après avoir demandé à Emily cinq fois si elle pouvait parler à maman, Kristy a enfin réussi à avoir Mamie qui lui a dit que sa mère n'était pas rentrée mais qu'elle me téléphonerait le soir.
Comme il était plus de dix-huit heures, mes amies sont parties. Je suis restée dans ma chambre. Je me suis assise à mon bureau pour regarder les photos de Mimi et moi.
« C'est fou que je me sois imaginé que j'avais été adoptée, ai-je dit à la photo de Mimi. Mais tu dois admettre que les indices étaient trompeurs. Et Emily Michelle et moi, nous avons beaucoup de points communs. Mais je suis tellement, tellement contente d'être ta vraie petite-fille. Je veux dire ta petite-fille de sang. Et je suis contente que maman et papa soient mes vrais parents. Je suis même contente que Jane soit ma vraie sœur. Vraiment. »

Je me suis levée et je suis allée trouver Jane dans sa chambre.

– Viens, on va préparer le dîner toutes les deux ce soir, lui ai-je proposé. On va faire une surprise à maman et papa. Ça va être drôle.

Jane m'a regardée, étonnée. Puis elle m'a répondu :

– D'accord.

Mais, d'abord, elle a sauvegardé son travail sur une disquette et elle a éteint son ordinateur. Puis elle m'a souri.

Ma sœur et moi, nous avons descendu ensemble les escaliers.

# A propos de l'auteur

## Ann M. Martin

Ann Matthews Martin est née le 12 août 1955. Elle a grandi à Princeton, aux États-Unis, avec ses parents et sa jeune sœur, Jane.

Elle a été enseignante, puis éditrice de livres pour enfants, avant de se consacrer à la littérature. Pour écrire, elle s'inspire d'expériences personnelles, mais aussi de sa connaissance du monde de l'enfance et de l'adolescence.

Tous ses personnages, même les membres du Club des baby-sitters, sont des personnages imaginaires (ainsi que la ville de Stonebrook). Mais beaucoup d'entre eux ressemblent à des gens qu'Ann Matthews Martin connaît.

Son livre préféré, dans la série le Club des baby-sitters, est *Un grand jour pour Kristy*. Kristy est aussi sa baby-sitter préférée. Ann M. Martin vit actuellement à New York et ses passe-temps favoris sont la lecture et la couture – elle aime particulièrement faire des habits pour les enfants.

Avez-vous lu les autres titres
de la série
LE CLUB DES **BABY-SITTERS** ?

---

*Les aventures du Club des baby-sitters continuent !*

## Le défi de Kristy

## Le Club des baby-sitters n°32

*Découvrez dès maintenant un extrait du premier chapitre...*

“ – Kristy ! Emily a recommencé !

– Quoi ? Qu'est-ce qu'elle a fait ? ai-je demandé.

David Michael, mon frère, hurlait depuis le salon où il était en train de regarder la télévision avec Emily, notre sœur. J'étais dans la cuisine pour leur préparer un goûter : un sandwich pour David Michael et un biberon de lait pour Emily.

– Elle a pris la télécommande et elle n'arrête pas de changer de chaîne. Et moi, j'ai envie de regarder *L'Homme-gorille*.

– Eh bien, tu n'as qu'à mettre la télécommande en hauteur. Comme ça, elle ne pourra pas l'attraper.

Je vissais la tétine sur le biberon quand j'ai entendu un cri perçant. C'était Emily. Quand on a l'habitude des enfants, comme moi, on apprend très vite à reconnaître les cris de chacun.

– Qu'est-ce qui ne va pas, maintenant ? ai-je demandé en entrant dans la pièce, le biberon dans une main et le sandwich dans l'autre.

Emily pleurait en sautillant sur place. En fait, elle ne sautait pas vraiment puisque ses pieds ne décollaient pas du sol. Elle pliait les genoux et les tendait à toute allure. Elle était rouge comme une tomate et hurlait sans s'arrêter :

– Wah-ah-ah-ah-ah-ah-ah !

David Michael avait l'air énervé.

– J'ai fait exactement ce que tu m'as dit. J'ai posé la télécommande là-dessus (il m'a montré du doigt une étagère), et Emily s'est mise à pleurer.

– Bon, ne t'inquiète pas, tu as bien fait. Tiens, voilà ton goûter, lui ai-je dit en lui tendant la moitié d'un sandwich. Mange ça pendant que je calme Emily.

J'ai vraiment une famille incroyable. J'adore faire du baby-sitting pour mes petits frères et sœurs (ils sont quatre en tout – je vais vous donner plus de détails dans une minute), mais parfois c'est un peu la panique. »

*Les aventures*
*du Club des baby-sitters continuent !*

## Une nouvelle sœur pour Carla

## Le Club des baby-sitters n°31

*Découvrez dès maintenant*
*un extrait du premier chapitre...*

“Le bouquet de mariage de maman voltigeait au-dessus de nos têtes. Mary Anne, ma nouvelle demi-sœur, et moi sautions en l'air pour essayer de l'attraper...

Et soudain, j'ai eu l'impression que les bras de Mary Anne s'allongeaient de quinze centimètres et, bien qu'elle ne soit pas très adroite, elle s'est emparée du bouquet.

Je n'en croyais pas mes yeux.

C'était le bouquet de ma mère. C'est moi qui aurais dû l'attraper. Bon, d'accord, j'exagère. Il n'y a pas de loi qui précise que le bouquet de sa mère doive revenir à sa propre fille. En plus, il y avait plein de monde derrière nous – d'autres filles qui le voulaient aussi – et nous étions à chances égales. Vous vous demandez sûrement pourquoi se battre pour un bouquet... Parce qu'on dit que celle qui l'attrape sera la prochaine à se marier. Mary Anne et moi, nous n'avons que treize ans et donc aucun projet de mariage, mais j'aurais quand même aimé avoir le bouquet de ma mère. Mais, si ça se trouve, Mary Anne en avait encore plus envie. Après tout, elle a un petit ami – Logan Rinaldi. Peut-être espère-t-elle qu'ils se marieront un jour, quand ils seront plus âgés…

En tout cas, Mary Anne brandissait triomphalement ce bouquet.

– Je l'ai eu, a-t-elle haleté.

Bon, d'accord. Mais elle nous avait presque toutes écrasées dans la manœuvre, alors, ce n'était pas étonnant !

Tout le monde riait et applaudissait.

– Bravo, Mary Anne ! a crié Kristy Parker, une de ses meilleures amies.

Je réfléchissais. Mary Anne est timide – extrêmement timide. Et c'est une des personnes les plus gentilles que je connaisse. C'est ma meilleure amie, et ma demi-sœur désormais, mais elle a un petit ami, et pas moi. Alors autant oublier cette histoire de bouquet. Je me suis tournée vers elle et je l'ai prise dans mes bras.

– Félicitations… p'tite sœur !

Mary Anne, qui est très sensible, a aussitôt fondu en larmes en hoquetant :

– P'tite sœur ! C'est réellement vrai. Nous sommes demi-sœurs maintenant.

– Non, sœurs tout court, ai-je corrigé.

Les larmes de Mary Anne coulaient de plus belle.

– Merci… p'tite sœur. ”

*Les aventures*
*du Club des baby-sitters continuent !*

## Félicitations Mary Anne !

## Le Club des baby-sitters n°30

*Découvrez dès maintenant*
*un extrait du premier chapitre...*

« – Franchement, de temps en temps, j'ai plus l'impression de vivre avec une grande enfant qu'avec ma mère, a soupiré Carla.

Je me suis mise à glousser de rire.

Carla Schafer est une de mes deux meilleures amies, nous passions la soirée ensemble car nos parents étaient sortis. Ce que voulait dire Carla à propos de sa mère, c'est qu'elle est terriblement distraite. Je peux me permettre de dire ça car Carla le répète tout le temps.

Et c'est exactement ce qu'elle disait à ce moment-là :

– Maman est vraiment tête en l'air !

Elle venait de trouver un escarpin dans le compartiment à légumes du réfrigérateur. Elle a posé délicatement la chaussure par terre et lui a dit :

– J'espère que tu n'es pas trop gelée, ma pauvre !

Puis elle s'est tournée vers moi.

– Bon. Qu'est-ce que tu veux pour le dîner ? Je veux dire, à part des chaussures. Maman a laissé du tofu dans le frigo. Je suis étonnée qu'elle ne l'ait pas rangé dans sa penderie. Mais à mon avis, ça ne te dit rien.

En effet.

En croisant les doigts, j'ai demandé :

– Tu as du beurre de cacahuètes ?

– Oui, mais il est complètement nature, sans sucre ni sel.

– Ça me va.

C'était toujours mieux que du tofu. Je me suis fait un sandwich au beurre de cacahuètes et au miel pendant que Carla se préparait une salade.

Nous étions habituées à ces soirées. Nos parents n'étaient pas simplement sortis, ils étaient sortis ensemble. Et cela arrivait de plus en plus souvent, ces derniers temps.

Je pense que je devrais peut-être m'arrêter pour vous expliquer qui nous sommes, avant de continuer à raconter cette soirée. Alors voilà : en plus d'être meilleures amies, nous habitons à Stonebrook, Connecticut, nous avons toutes les deux treize ans et nous sommes en quatrième. Mon nom est Mary Anne Cook. J'ai toujours vécu à Stonebrook, dans la même maison, mais Carla, elle, est arrivée ici au milieu de l'année de cinquième . Elle a emménagé ici parce que ses parents venaient de divorcer. ❞

Loi n° 49-956 du 16 juillet 1949
sur les publications destinées à la jeunesse
ISBN 2-07-054339-0
Numéro d'édition : 96273
Dépôt légal : septembre 2000
Numéro d'impression : 52088
Imprimé sur les presses de la Société Nouvelle Firmin-Didot